WILLIAM SUTCLIFFE

WIR SEHEN ALLES

ROMAN

Aus dem Englischen von
Uwe-Michael Gutzschhahn

Rowohlt Taschenbuch Verlag

Die englische Originalausgabe erschien 2017
unter dem Titel «We See Everything»
bei Bloomsbury Publishing Plc, London.

Deutsche Erstausgabe

Veröffentlicht im Rowohlt Taschenbuch Verlag,
Hamburg, Dezember 2019
Copyright für die deutsche Übersetzung
© 2019 by Rowohlt Verlag GmbH, Hamburg
Das Zitat auf Seite 7 stammt aus der dt. Erstausgabe von Atef Abu Saifs Buch
«Frühstück mit der Drohne. Tagebuch aus Gaza» in der Übersetzung von
Mariann Bohn. Copyright © 2015 by Unionverlag, Zürich
«We See Everything» Copyright © 2017 by William Sutcliffe
Lektorat Sophie Härtling
Satz aus der Dolly
bei Pinkuin Satz und Datentechnik, Berlin
Druck und Bindung CPI books GmbH, Leck, Germany
ISBN 978-3-499-21831-6

Für Maggie

Wie soll man dabei schlafen? Wie soll man überhaupt nur an Schlaf denken? Der Schlafmangel lässt dich irgendwann durchdrehen, die Leuchtgeschosse am Himmel, die Explosionssymphonie, das Getöse der Mörser, das Sirren der Drohnen ... Dieses Chaos wird dich besiegen, wenn du es zulässt.

Atef Abu Saif: «Frühstück mit der Drohne. Tagebuch aus Gaza» (2015)

DIE STADT

Ich weiß nicht, ob ich das schaffen werde.

An die Mauer gedrückt, die von Granatsplittern durchsiebt ist, starre ich über die Fläche aus zusammengestürzten Backsteinen, aufgebrochenem Teer, zerstörtem Beton und verbogenem Stahl auf die Brombeersträucher, die ich gestern entdeckt habe, gleich hinter dem Anfang der Sperrzone.

Ich könnte in wenigen Sekunden dort sein. An jedem anderen Ort wär das ganz einfach. Aber an jedem anderen Ort wären die Brombeeren auch längst weg.

Eine Frau mit grauen Haarsträhnen, die trotz der warmen Septembersonne einen dicken Wintermantel trägt, tritt hinter mir aus dem Wohnblock. Sie beäugt mich misstrauisch, bevor sie davonschlurft.

Man sieht in dieser Gegend am äußeren Stadtrand von London nicht viele Leute auf den Straßen. Gerade deshalb komm ich hierher, schaue hinaus auf die Sperrzone und fühle mich für eine kurze Zeit allein, weit weg von dem Lärm und den Menschenmassen im Zentrum. Es ist ein gespenstischer Ort, doch nirgendwo sonst kann man einen Windhauch spüren oder etwas sehen, was weiter entfernt ist als die andere Straßenseite.

Die ganze Nacht habe ich überlegt, ob ich es wagen soll, diesen verödeten Todesstreifen zwischen mir und dem Zaun zu betreten, und selbst jetzt, nachdem ich mit Tüten zurückgekehrt bin, um die Beeren zu sammeln, kann ich mich immer noch nicht entscheiden.

Ist es wirklich wahrscheinlich, dass jemand die ganze Zeit diesen verlassenen Streifen bewacht und so aufmerksam ist, dass er einen Jugendlichen bemerkt, der für ein paar Sekunden aus der Deckung hervorkommt? Und wenn er mich sieht, würde er dann tatsächlich schießen?

Ich schaue über die Brache hinweg zum nächsten Wachturm und versuche, die Entfernung abzuschätzen, sie nach der kleinsten Bewegung oder dem kurzen Aufblitzen eines reflektierten Sonnenstrahls zu scannen, doch der Beton und das getönte Glas geben nichts preis.

Als mein Blick wieder zu den Brombeersträuchern zurückkehrt und an den dunklen, reifen Beeren hängenbleibt, läuft mir plötzlich das Wasser im Mund zusammen, und sämtliche schrecklichen Warnungen vor dem Betreten der Sperrzone, die ich gehört habe, lösen sich in meinem Kopf in nichts auf. Nach einer ganzen Nacht ängstlichen Hin-und-her-Überlegens scheint es, als würden jetzt meine Beine statt mein Kopf die endgültige Entscheidung treffen.

Ich ducke mich, sprinte los, wie eine Kakerlake, auf die Mulden und Hügel aus Schutt zu, und stoße bei jedem geduckten Schritt mit den Knien fast gegen mein Kinn. Obwohl ich schnell laufe, scheint sich die Distanz zu dem Gebüsch zu vergrößern. Ich halte die Luft an, fühle mich wie auf dem Präsentierteller und erwarte jeden Moment den Einschlag einer Kugel, die ich wahrscheinlich erst hören werde, wenn sie schon in mein Fleisch eingedrungen ist. Während ich wie ein Gejagter weiter über die verwinkelte, staubige Fläche renne, hallt eine geisterhafte Stimme durch meinen Schädel: *Wieso tust du das? Warum bist du so dämlich? Seit wann riskierst du dein Leben für so etwas Lächerliches?*

Ich werfe mich im Schutz der Sträucher zu Boden, reiße mir das Knie an einer vorstehenden Betonkante auf, spüre aber nur den dumpfen Widerhall eines Schmerzes, selbst als Blut durch die Jeans tropft. Ich kann es kaum fassen, dass ich es bis hier geschafft habe, in diesen niedergewalzten Streifen Land, der das umgibt, was von London übrig ist.

Ich liege still unter dem stachligen Laub, bis sich das übelkeiterregende Rasen meines Herzens beruhigt und meine Gedanken sich nicht mehr wild drehen. Schließlich hebe ich vorsichtig meinen Oberkörper vom Boden und schaue mich um. Ich kenne niemanden, der es je gewagt hat, einen Fuß auf dieses verbotene Gelände zu setzen, doch ich fühle mich seltsam losgelöst von der Realität des Ortes, an dem ich mich befinde. Als ob der Junge, der hier draußen versteckt unter dem Brombeergesträuch hockt, geschützt vor dem Grenzzaun, unmöglich ich sein kann. Auch wenn ich weiß, dass ich erschossen werden könnte, umgibt mich ein vages Gefühl von Immunität, beinahe Unsterblichkeit. Dieses Gefühl von anwesend und zugleich abwesend sein erinnert mich an das Sichverlieren in einem Videospiel.

In dieser Stadt scheint der Tod permanent über allem zu schweben wie ein armseliger Tyrann, der ständig Aufmerksamkeit verlangt. Doch wegen seiner grausamen Unvorhersehbarkeit ist es manchmal, als hätte er einen vergessen.

Ich weiß nicht mehr, wann ich das letzte Mal nicht dem klaustrophobischen Druck der Stadt ausgesetzt war. Die Leere, die sich um einen herum ausbreitet, sanfte Erd- und Schuttwälle in alle Richtungen, all das kommt einem beinahe bizarr und köstlich vor. Und das Beste von allem ist diese Stille.

Oder Fast-Stille. Ich höre nur meinen eigenen Atem, ein fernes Verkehrsrauschen und das gewohnte immerwährende Sirren aus dem Himmel.

Jeder Atemzug fühlt sich an wie ein kleines, schwereloses Paket voll Zeit, das man erst festhält und dann freigibt. Es ist ein so wunderbares Gefühl, dass ich am liebsten den ganzen Nachmittag hierbleiben würde, fern von dem Lärm, den Menschenmassen, dem Stress, den beengt hausenden und kämpfenden Millionen.

Ich weiß, ich sollte mich lieber aufrichten, die Beeren pflücken und dann schnell wieder von hier verschwinden, doch der Kitzel, ganz für mich allein zu sein, still und unentdeckt, durchdringt meinen Körper. Ich rolle mich auf den Rücken und schaue hoch. Anstatt mich weiter durch den Tag zu schlagen, könnte ich einfach nur hier liegen und die Stunden über mich hinwegstreichen lassen.

Es ist lange her, dass ich so viel Himmel gesehen habe. Nur auf den größten Trümmergeländen oder hier draußen kann man etwas sehen, das einem Horizont ähnelt, oder spüren, dass der Himmel mehr ist als bloß schmale Luftkorridore, die über den Straßen hängen.

Die Wolken stehen heute ganz hoch am Himmel, ferne blasse Streifen, vor denen man die Drohnen leichter erkennen kann als sonst, diese riesigen Heuschrecken mit ihren digitalen Insektenaugen, die Tag und Nacht über London kreisen und alles registrieren, was wir tun. Die nächste lauert direkt über mir, ändert dann plötzlich ihre Neigung und verschwindet zurück Richtung Stadt. Die Sonne prickelt köstlich auf meinem Gesicht. Langsam bilden sich Schweißtropfen auf Stirn und Oberlippe. Ich kämpfe gegen den Impuls an, sie fortzuwischen, und stelle mir vor, wie sie verdunsten und davonschweben: Ein winziger Teil von mir inszeniert eine unsichtbare Flucht aus dieser Gefängnisstadt.

An der Unterseite eines Blattes entdecke ich einen Marienkäfer. Ich habe schon seit Jahren keinen mehr gesehen, strecke den Zeigefinger aus und verleite den Marienkäfer dazu, auf meinen Handrücken zu steigen. Er krabbelt in Richtung Handgelenk, und seine Füße kitzeln so leicht auf der Haut, dass ich nicht weiß, ob ich sie wirklich spüre.

Ich drücke meinen Ärmel eng zusammen, damit er nicht meinen Arm hochkrabbeln kann, und der Marienkäfer stößt ein paarmal gegen das Hindernis, dann kehrt er um und läuft an meinem Daumen hoch. An der Spitze angekommen, weiß er nicht weiter, bewegt seine Antennen und scheint zu überlegen.

Genau so wirke ich wahrscheinlich auf den, der da oben

in der Drohne sitzt. Obwohl in einer Drohne natürlich niemand sitzt. Jemand hockt irgendwo und beobachtet, aber ganz sicher nicht am Himmel über mir.

Inzwischen sind meine Glieder schwer geworden, sie genießen zu sehr den Moment der Faulheit, doch ich muss endlich schnell das Brombeerenpflücken erledigen und dann verschwinden. Ich drücke mich in die Hocke, ziehe zwei Plastikbeutel aus der Tasche, stülpe sie zu einer Korbform und stelle sie auf den Boden. Die ersten Beeren wandern direkt in meinen Mund, und ich spüre, wie mir die Tränen kommen; von der süßen Strenge, die sich auf meine Zunge legt, aber auch von einer Woge heißer, wirrer Empfindung. In all dem Chaos – den Bomben, dem Tod, der Trauer, dem Unfrieden – fühlt sich der simple Vorgang, eine Beere zu finden und sie zu essen, an wie ein Wunder. Und dass so etwas Kleines so wunderbar erscheinen kann, erzeugt ein Gefühl von unsäglicher Trauer.

Aber ich kann meine Zeit nicht mit Selbstmitleid vergeuden und darf auch nicht zu viele Beeren essen. Sie sind schließlich nicht für mich. Ich bekomme für sie einen guten Preis, und das Geld brauch ich.

Ich ernte einen Zweig nach dem andern ab, schiebe meine Hände zwischen den dornigen Stengeln hindurch, um sie leerzupflücken. Meine Hände sind bald zerkratzt und voller dunkelroter Flecken. Wie viel davon Saft ist und wie viel Blut, weiß ich nicht, aber das interessiert mich auch kaum, während ich pflücke und pflücke und die Tüten immer weiter mit den festen schwarzen Früchten fülle.

Keine Ahnung, wie lange ich brauche. Alles, was hinter

dem Strauch liegt, scheint zu verschwinden, während ich arbeite, bis ich auf einmal jemanden meinen Namen rufen höre – mit panischem Ton.

«LEX! LEX! Was tust du da? Verdammt noch mal, was tust du da?»

Ich schaue hoch. An der Ecke, da, wo ich noch vor kurzem selber gestanden habe, steht mein Vater. Sein Gesicht ist rot vor Wut, sein Arm stößt in den leeren Raum zwischen uns.

Ich weiß nicht, was ich sagen soll. Der Anblick der Panik und Wut in seinem Gesicht reißt mich aus meinen Gedanken, lähmt mich durch dieses plötzliche Bewusstsein, dass ich keine Erklärung habe, wieso ich hier in der militärischen Sperrzone Beeren pflücke.

«LEX! LEX!»

Er klingt, als würde ich von der zurückweichenden Flut ins Meer gezogen werden und ertrinken, und er ruft, um zu sehen, ob ich noch zu retten bin.

«Ich … ich komme», sage ich.

«Nein! Nicht! Sie werden schießen!»

«Bleib da. Ich komme», wiederhole ich.

«NEIN! RÜHR DICH NICHT VOM FLECK!», schreit er zurück.

Er springt los und läuft tief geduckt über den unebenen Boden zu mir herüber.

In Sekundenschnelle hat er mich erreicht. Noch immer geduckt, packt er mich an den Schultern und reißt mich zu Boden.

«WAS MACHST DU?», brüllt er. «WIE KONNTEST DU BLOSS SO DUMM SEIN?»

Er hebt den Arm, und auch wenn es nur einen Grund für diese Bewegung geben kann, glaube ich noch immer nicht, dass er mich tatsächlich schlagen wird, denn das hat er noch nie getan. Deshalb zucke ich zusammen, als er mir mit der offenen Hand ins Gesicht schlägt, sodass mein Kopf zur Seite fliegt und ich ein loderndes Brennen auf der Wange spüre.

Ich kippe aus der Hocke und falle hin. Er zieht mich hoch, reißt mich in der Deckung der Sträucher an sich und drückt mich so fest an seine Brust, dass sich die Knöpfe seiner Jacke schmerzhaft in meine Rippen graben. «Wieso hast du das gemacht? Willst du, dass sie dich umbringen?», fragt er.

Ich weiß nicht, was ich sagen soll. Ich habe keine Erklärung außer der nutzlosen, unbeschreiblichen Vorstellung, dass man manchmal etwas tun muss – irgendwas –, um sich zu befreien.

Schließlich schweigt er und lockert seinen Griff, lässt mich aber noch immer nicht los. Er drückt meine Schultern und wendet das Gesicht zur Seite, als wollte er mich festhalten und sich gleichzeitig vor mir verbergen.

«Wieso?», fragt er wieder.

Ich zucke mit den Schultern. Tränen kämpfen sich mit einem wachsenden Stechen in meiner Kehle ihren Weg nach oben. Ich fühle mich plötzlich hoffnungslos verloren, überfordert von der Hilflosigkeit, die sich für einen Moment in dem unendlich müden Ausdruck auf dem Gesicht meines Vaters zu spiegeln scheint. In diesem Meer aus Trümmern sind wir zwei verzweifelte Schiffbrüchige.

«Woher wusstest du, dass ich hier bin?», frage ich schließlich statt einer Antwort.

Mit dünner, krächzender Stimme sagt er: «Ein Freund», und zeigt vage zu den Wohnblöcken an der Stadtgrenze. «Er hat dich gesehen. Er hat mich angerufen. Er hat sich Sorgen gemacht.»

«Alles in Ordnung. Ich bin in Sicherheit.»

Ein neuer Anflug von Wut blitzt in seinem Gesicht auf. «Sei nicht so dumm. Du bist doch wesentlich klüger. Beleidige mich nicht mit dem Versuch, mir zu erklären, dass es hier sicher ist. Und jetzt lass uns von hier verschwinden. Wir reden zu Hause weiter.»

Zaghaft späht er durch das Laub in Richtung des Grenzzauns. Über uns entdecke ich wieder eine Drohne, diesmal tiefer, und sie fliegt einen engeren Kreis als beim letzten Mal. Das Sirren ist lauter, höher, insektenhaft.

Dad packt meinen Arm und rennt los. Ich habe gerade noch Zeit, nach einer Tüte zu greifen, erwische sie aber nur an einem Henkel und halte sie fest, während wir bereits laufen, um Schutz zu suchen.

Wieder mache ich mich auf Schüsse vom Grenzzaun bereit, doch es kommt kein Laut, kein Angriff.

Selbst als wir der Pufferzone entkommen sind, wird Dad nicht langsamer. Wir eilen an dem äußersten Wohnblock der Stadt vorbei, jagen um eine Ecke und rennen weiter die Camden Road hoch, an einer Reihe gleich aussehender Backsteinhäuser entlang, von denen die meisten stehen geblieben sind. Nur einen Block weiter ist der klaustrophobische Druck der Stadt wieder da. Die beißenden Abgase des Verkehrs erfüllen die Straßen, endlose Schlangen verrosteter und heruntergekommener Autos kämpfen gegen Fahrräder, Motorroller, Motorräder und Händler mit ihren Handkarren um jeden Zentimeter Asphalt, doch selbst als wir uns im Menschenstrom verlieren, zieht Dad mich immer noch im Laufschritt weiter.

Eine Gruppe von Schülern steht vor dem City-and-Islington-College, ihre Bücher und Schreibblöcke fest unter den Arm geklemmt, und raufen oder flirten unter der grauen, flappenden Abdeckplane vor der Fassade. Dad zerrt mich über die Straße auf ein Tor zu, durch das wir hinter dem Gebäude in eine dunkle Gasse mit grauen Steinmauern und zugenagelten Fenstern gelangen. Neben einem übervollen Müllcontainer, an einem Ort bedrückender Stille, entlässt er mich endlich aus seinem Griff.

Ich brauche eine Weile, um mich an die schmutzige, nach Fäulnis stinkende Luft zu gewöhnen. Während ich seinem schnellen, keuchenden Atem lausche, offenbart sich langsam sein Gesicht: kalt, erschöpft und wütend.

Er nimmt die schwarze Drahtgestellbrille ab, die sonst wie ein fester Bestandteil seines Gesichts scheint, und fährt sich über den Nasenrücken. Die Haut unter den Augen ist geschwollen und von winzigen Pockennarben gesprenkelt. Einen Moment lang wirkt er zerbrechlich und hilflos, doch als er die Brille wieder aufsetzt und mich mit einem eiskalten Blick anstarrt, durchläuft mich ein Angstschauer. Ich weiche einen Schritt zurück. Vor dem heutigen Tag hat er mich nicht ein einziges Mal geschlagen, noch habe ich ihn jemals den Tränen so nahe erlebt. Es ist fast, als würde durch seine vertrauten Züge ein ganz anderer Mann hervordringen, der nicht mein Vater ist. Er hat sonst immer, unabhängig von allem andern, so vorhersehbar gewirkt. So konstant. Doch in diesem Moment habe ich keine Ahnung, was er als Nächstes tun wird.

«Tut mir leid, dass ich dich geschlagen habe», sagt er nach langem Schweigen.

Ich nicke, hebe die Hand an die Wange, die sich unter den Fingerspitzen immer noch heiß anfühlt.

«Aber du hast es verdient», fügt er hinzu.

Ich zucke mit den Schultern.

«Wieso bist du da hingegangen?»

Ich zucke mit den Schultern.

«Sag's mir. Denkst du, du bist was Besonderes? So eine Art Superheld, an dessen Haut sämtliche Kugeln abprallen?»

Ich schaue nach unten, mein Blick fällt auf ein Stück Himmel, das sich in einer öligen Pfütze spiegelt.

«Weißt du, wie lange es dauert, erschossen zu werden? Den Bruchteil einer Sekunde. Glaubst du, die interessiert, wer du bist? Glaubst du, die schießen nur auf Erwachsene?»

Ich schüttle den Kopf.

«Wie konntest du nur so *dumm* sein?», faucht er.

Eine Welle unterdrückter Wut jagt durch meinen Körper. Plötzlich habe ich das Gefühl, als ob alles seine Schuld ist, als ob dieses eingesperrte, eingeschränkte, verängstigte Leben eine Erfindung meines Vaters sei, um mich zu quälen. Am liebsten würde ich ihn dafür würgen. Als ob ich ihm, wenn ich meine Hände um seinen Hals lege und zudrücke, zeigen könnte, was es heißt, ich zu sein.

Doch ich sage nichts.

Er tritt einen Schritt vor, schließt den Abstand zwischen uns und spricht mit einer langsamen, drohenden Stimme, die klingt, als müsste er sie aus der unendlichen Tiefe seines Körpers nach oben ziehen. «Ich verstehe, dass du ein eigenständiger Mensch sein musst. Ich weiß, wie das mit sechzehn ist. Du wirst nicht mehr alles tun, was man dir sagt. Aber in diesem Punkt wirst du dich mir nicht widersetzen. Du gehst dort nie wieder hin. Wenn du stirbst, bist nicht nur du es, der stirbt. Du würdest deine ganze Familie töten. Hast du verstanden?»

Ich nicke, aber ich habe noch nicht die Tüte mit Brombeeren aufgegeben, die ich zurücklassen musste.

«Wenn du egoistisch sein willst, dann bitte, aber nicht in diesem Punkt. Die Warnung ist eindeutig. Sie schießen, sobald sie dich sehen.»

Ich nicke noch einmal und drehe mich weg.

«ANTWORTE MIR!», faucht er und stößt mir gegen die Schulter.

«Was soll ich denn sagen?»

«Sag mir, dass du nie wieder dort hingehst.»

«Mach ich nicht.»

«Sag es ordentlich.» Er drückt seinen rauen Daumen gegen mein Kinn und hebt meinen Kopf an. Ich spüre, wie mich meine Augen verraten, doch ich halte seinem Blick stand.

«Mach ich nicht.»

Er lässt nicht los und versucht, in meinem Gesicht zu lesen, aber ich weiß, dass er das nicht kann.

Er schnauft entnervt, dreht sich weg und jagt mit der Schuhspitze einen Schotterregen in die Luft.

«Bring die deiner Mutter nach Hause», sagt er und zeigt auf die Tüte mit den Brombeeren. Mein Herz sinkt. Der ganze Aufwand und das Risiko – alles umsonst.

«Ich wollte sie verkaufen.»

«Nein. Das geht nicht.»

«Wieso nicht? Die bringen gutes Geld.»

«Genau. Und danach wirst du es wieder tun wollen.»

«Werd ich nicht.»

«Warum sollte ich dir glauben?»

«Weil ich's nicht tun werde.»

«Gib sie Mum. Erzähl ihr, was du getan hast.»

«Wenn ich's ihr sage, macht sie sich doch bloß Sorgen.»

«Du willst sie also anlügen?»

«Keine Ahnung ...»

«Du willst, dass ich sie anlüge?»

«Wär vielleicht besser.»

«Bring die Brombeeren nach Hause. Sag ihr die Wahrheit. Wir unterhalten uns später.»

«Kommst du nicht mit?»

«Ich muss los. Bin schon spät dran.»

«Wofür?»

«Für ein Treffen.»

Es ist Abend, und er trägt nicht mehr seine Arbeitskleidung. Seit wann beendet ein Automechaniker seine Arbeit, um danach zu einem Treffen zu gehen?

Er geht, verschwindet aus der Gasse. Ich laufe ihm hinterher, um ihn einzuholen.

«Was für ein Treffen?»

«Nichts Besonderes. Bloß so ein Zusammensein.»

Als wir den Bürgersteig erreichen, schaut er nach oben. Ich folge seinem Blick und sehe zwei hoch oben kreisende Drohnen. Ich registriere nur kurz, wie merkwürdig es ist, gleich zwei so dicht zusammen zu sehen, doch als ich den Blick wieder senke, ist Dad schon weitergegangen, und als ich ihn einhole, hab ich die Drohnen bereits vergessen.

«Wo gehst du hin?», frage ich.

«ES IST NICHTS!», faucht er. «Vergiss es einfach. Du musst jetzt nach Hause.»

In der Nähe des weitgehend zerstörten Holloway-Gefängnisses bleibt er stehen, blickt sich um und dann wieder nach oben. Ein Mann mittleren Alters in einem schmuddeligen Anzug und mit tief ins Gesicht gezogener Baseballkappe überquert vor uns die Straße, und ich merke, wie er meinen Dad ansieht und danach schnell wegschaut. Der Blickkontakt ist nur flüchtig, doch ich spüre, dass sie etwas austauschen. Sie kennen sich und wissen, dass sie das vor mir nicht zeigen dürfen.

Dad bleibt am Bordstein stehen und beobachtet, wie der andere im nächsten Gebäude verschwindet, einem heruntergekommenen Pub, dessen Schild – das rissige Bild eines alten Schlosses – gefährlich schief herabhängt und über dem Eingang hin und her schwingt. Dann sieht er mich an, die Stirn gerunzelt, als würde er eine komplizierte Rechnung anstellen.

«Ich bringe dich ein Stück nach Hause», sagt er und marschiert schnellen Schrittes die Camden Road entlang.

«Warum die Eile?», frage ich.

«Hörst du wohl auf damit?»

«Was meinst du?»

«Mit der endlosen Fragerei! Geh einfach nach Hause.»

«Ich hab doch nur gefragt, warum so eilig.»

Er geht weiter, schneller denn je, und bleibt stets ein paar Schritte vor mir. Wir kommen an den schiefen, spinnenartigen Trümmern einer zerbombten Baustelle vorbei, das Gerüst ist verbogen und in sich zusammengesackt wie riesige Spaghetti. Wir laufen weiter. Je weiter wir uns vom Londoner Stadtrand entfernen, desto voller wird es auf dem Gehweg: Teenager schlendern in Gruppen, schmuddelige Kinder ziehen Karren aller Art hinter sich her und wühlen in Mülleimern und auf Trümmergrundstücken. Ab und zu kommen Verrückte in stinkenden Klamotten vorbei und murmeln wütend vor sich hin, und Massen von missmutigen Londonern halten zerfledderte Taschen und Tüten mit dem umklammert, was sie den Tag über an Essen zusammengesammelt haben.

An der nächsten Ecke bleibt Dad stehen, schaut erst auf die Uhr, dann auf die Straße und in den Himmel. «Geh nach Hause», sagt er. «Ich muss hier lang. Bis nachher.»

Nach einem kurzen Nicken zum Abschied läuft er in eine kleine Seitenstraße mit Stümpfen von Bäumen, die längst zu Brennholz geworden sind. Ich sehe, wie er nach oben blickt, doch nicht zu mir zurück.

Er biegt nach links ab und kehrt auf unsere Strecke zurück. In dem Moment beschließe ich, ihm zu folgen. Er verheimlicht etwas. Ich weiß nicht viel über seine Vergangenheit, doch genug, um zu ahnen, wohin er wahrscheinlich will, wen er wahrscheinlich trifft.

Ich fange an zu rennen, an einem Wohnblock vorbei, von dem die oberen Stockwerke ohne Fenster und rußgeschwärzt sind, und laufe über eine provisorische Rampe aus alten Paletten, die über einen abgestandenen Tümpel aus widerlich graubraunem Wasser gelegt sind.

Als ich um die Ecke komme, seh ich ihn wieder, immer noch im Eilschritt, zu weit weg, um mich wahrzunehmen. Ich passe mich seinem Tempo an, eine schmale, von Balkonen voller Wäsche gesäumte Straße entlang.

An der nächsten Kreuzung biegt er erneut nach links ab und vollendet den Kreis um den Wohnblock. Ich bleibe jetzt auf Distanz und verstecke mich zwischen geparkten Autos. Nach wenigen Minuten ist er wieder da, wo wir den Mann mit der Baseballkappe getroffen haben.

Er bleibt stehen, schaut erneut hoch, wirft einen Blick auf seine Uhr, dann wendet er sich um. Bevor ich mich wegducken kann, sehe ich kurz sein Gesicht. Er wirkt in sich gekehrt, konzentriert. Ich habe das Gefühl, ich könnte aus meinem Versteck treten und er würde mich nicht wahrnehmen.

In diesem Moment fällt mir ein, dass er mich vielleicht gar nicht bloß geschlagen hat, weil ich in der Pufferzone herumgestreunt bin oder weil er um meine Sicherheit besorgt war. Es muss etwas anderes mit ihm passiert sein.

Ich spähe zwischen den Autos hervor und sehe, wie er die Straße überquert und in den Eck-Pub geht, an dem wir vor ein paar Minuten vorbeigekommen sind.

Mein Vater ist kein Trinker. Ich habe ihn ab und zu mit Freunden ein Bier trinken sehen, aber er ist kein In-den-Pub-Geher. Er wird dort den Mann mit dem Anzug und der Baseballkappe treffen wollen, den wir vorhin in das gleiche Gebäude haben gehen sehen.

Es ist nur ein kurzer Augenblick, in dem ich begreife, wer der Mann sein könnte, und mir überlege, wer wohl noch an dem Treffen teilnimmt, doch das reicht, um alles zu verändern. Auch wenn es der schlimmste Schock meines Lebens ist, weiß ich sofort, was als Nächstes geschieht. Fast bin ich weniger überrascht, als ich eigentlich sein müsste.

Der Lichtstreifen, der so schnell durch den Himmel schießt, dass ich nicht sicher bin, ob ich ihn wirklich gesehen habe; der weiße Blitz einen Sekundenbruchteil vor dem ohrenbetäubenden Knall, das Saugen und Zischen der Luft, ein heißer Luftzug, der über mein Gesicht fährt, das kriechende Sichausbreiten einer herannahenden Staubwolke, die mich in Schmutz hüllt, als ich mich viel zu spät zu Boden werfe.

Als ich mich wieder aufrichte, piepst es so laut in meinen Ohren, dass ich nichts anderes hören kann, nicht mal die Schreie der Leute um mich herum. Es fällt mir erst schwer, mein Gleichgewicht zu finden. Der Boden scheint zu kippen. Ich halte mich an einem parkenden Lieferwagen fest. Dann schaue ich auf meine Brust, meine Arme, Beine und Füße. Kein Blut. Es fehlt nichts. Ich bin unverletzt. Ich hebe den Kopf und starre durch die Staubwolke, die allmählich, qualvoll preisgibt, dass an der Straßenecke kein Pub mehr ist, sondern nur ein verkohlter, lodernder Trümmerhaufen.

DIE BASIS

Niemand dachte, dass ich es je zu was bringen würde. Die Lehrer hatten mich von Anfang an abgeschrieben, warfen mir vor, bloß rumzuhängen und mich nicht anzustrengen, und meinten, dass ich in der Schule ständig schlafen würde, weil ich die halbe Nacht am Computer spielte. Mum genauso. Ich erinnere mich an ihre endlosen Predigten, dass ich mich auf die reale Welt konzentrieren müsse, statt meine ganze Aufmerksamkeit auf Spiele zu verschwenden, und dass ich meine Zeit lieber mit «echten Menschen» verbringen solle, als wären die Online-Freunde, mit denen ich spielte, eine Ausgeburt meiner Phantasie.

Alles Dinosaurier, die in der Vergangenheit leben und immer noch glauben, dass es ein «real» und ein «virtuell» gibt und dass das eine irgendwie wirklicher ist als das andere.

Als ich es ins Landeshalbfinale schaffte, mit Tausenden von Klicks von überall in der Welt auf die YouTube-Mitschnitte meiner Games, begriff keiner von diesen Idioten, was das bedeutete. Alle meinten immer noch, dass ich bloß meine Zeit vertrödelte, während ich in bestimmten Kreisen schon fast eine Berühmtheit war.

Selbst nachdem die Leute vom Rekrutierungsteam fürs Militär gekommen waren und sich einen ganzen Haufen von uns für das Drohnen-Programm geschnappt hatten, sogar Leute, die ich schon im Viertelfinale erledigte, hielt Mum mich immer noch für einen Loser, doch ich wusste genau, was ich wollte. Ich war genauso gut wie jeder andere, den sie angeworben hatten, und mir war klar, dass ich es schaffen würde, wenn ich die Sache konzentriert genug anging.

Nach wochenlangen Tests und Ausleseverfahren, gefolgt von einem todlangweiligen, zähen Trainingsprogramm und weiteren zehn Monaten endloser Routinearbeit wie Monitoring und ergebnisloses Screen-Protokolle-Erstellen, ist er endlich gekommen: der Tag, für den sich das Ganze gelohnt hat. Meine erste Mission als qualifizierter Pilot mit eigener Workstation, wo ich eine Drohne über London steuere mit dem Ziel: Subjekt #K622.

Diese Leute sind gerissen und wissen genau, dass sie überwacht werden, also musst du nach engen Gassen mit vielen Ausgängen suchen, aber das haben wir alles im Training gelernt. Wir haben Methoden, um auf fast alles zu reagieren.

Das erste Mal, als ich den Flugraum betrat, warf es mich buchstäblich um. Milliarden waren investiert worden, um die Parameter des Möglichen zu verändern und ein Beinahewunder zu erschaffen. Das Ziel einer jeden Armee in der Vergangenheit war es, den Feind zu sehen, ohne selbst gesehen zu werden, anzugreifen, bevor sich der Gegner verteidigen oder verstecken konnte. Unsere Technik treibt dies so weit wie überhaupt möglich: Wir haben die Fast-Unsichtbarkeit für uns und die absolute Transparenz für den Gegner erreicht.

Wir sehen alles, und wir können jeden töten. Wir haben die absolute Macht, ohne einen einzigen Soldaten am Boden. Die Feinde krabbeln über unsere Bildschirme und meinen, sie haben alles im Griff. Sie verhalten sich, als wenn ihr Widerstand auch nur den kleinsten Effekt hätte, doch wir können zerquetschen, wen immer wir wollen, wann immer wir wollen.

Das machen wir natürlich nicht. Wir sind die disziplinierteste Armee der Welt. Es gibt Regeln und Protokolle. Aber wir könnten es.

Die Menschen schuften ihr ganzes Leben, hetzen sich ab, um ein Fitzelchen Macht über andere zu gewinnen, rackern für jeden kleinen Vorteil, aber seht, was aus mir geworden ist. Ich bin zwanzig Jahre alt, und so weit habe ich es schon gebracht. #K622 und ich. Wenn ich versuche, mir die Macht vorzustellen, die ich über ihn habe, wird mir ganz schwindelig. Wenn er wüsste, wer ich bin, würde er Ehrfurcht vor mir haben. Er würde alles tun, um mein Wohlwollen zu gewinnen. Er würde vor mir auf die Knie fallen und um Gnade betteln. Und wie viele Menschen können das von sich behaupten? Wie viele «Loser» können das sagen?

Mum hat ihre Haltung geändert, seit ich den Job habe. Sie tut nicht mehr so, als ob sie Mitleid mit mir hätte. Sie scheint sich keine Sorgen mehr zu machen, dass ich es zu nichts bringe und mein Leben nicht finanzieren kann. Stattdessen ist da jetzt dieses Misstrauen, diese Skepsis und eine Art resignierte Enttäuschung, als hätte ich sie im Stich gelassen.

Es hat keinen Sinn zu versuchen, ihr zu gefallen oder jemals der Sohn zu werden, den sie gewollt hat. Sobald ich genug Geld gespart habe, ziehe ich bei ihr aus. Das ist das Einzige, auf was ich mich im Moment konzentriere: genug Geld zu kassieren, um für immer wegzuziehen, weg von ihrem verurteilenden Hundeblick, mit dem sie mich im Haus verfolgt und sich dabei heimlich wünscht, dass ich nicht ich wäre.

Meine Kollegen könnten nicht unterschiedlicher sein. Großartige Leute sind das. Es herrscht echte Kameradschaft. Das meiste von dem, was wir tun, ist geheim, deshalb können wir nur hier, auf der Arbeit, wirklich wir selbst sein. Bei jedem andern außerhalb der Basis gibt es immer zu viel, was du nicht sagen darfst.

Die Piloten und Sensor-Operators sind alle Gamer, hochbegabte, scharfsinnige, gute Leute. Nur ein paar aus dem riesigen Rekrutierungsschwung haben das Training geschafft. Die handwerklichen Voraussetzungen hatten alle, doch in dem Programm waren wir wie Ratten in irgendeinem psychologischen Labyrinth, die auf jede Entscheidung, jeden kleinsten Ansatz von Emotion, jeden Moment der Schwäche und Angst überwacht und geprüft wurden. Die Kiffer hielten höchstens ein paar Tage durch.

Sie haben bloß die allerstärksten Köpfe herausgepickt – Leute, deren Hände umso ruhiger werden, je mehr der

Druck steigt, Männer mit Laser-Hirnen. Wir wurden wieder und wieder getestet, und jeder von uns hat die innere Kraft zu tun, was getan werden muss, wenn es an der Zeit ist.

Als ich heute Morgen die Basis betrat, in Uniform für den ersten Tag meines Einsatzes, sah ich kurz mein Spiegelbild in einem Fenster und musste stehen bleiben. Ich konnte nicht einfach weitergehen, ohne die Realität dessen zu erfassen, was mit mir geschehen war. Es fiel mir schwer zu glauben, dass der grinsende Pilot in Uniform, der sich in der Scheibe spiegelte, tatsächlich ich war.

Und ich werde bezahlt! Ich verdiene ein gutes Gehalt damit, Teil dieses Clubs zu sein, zu dem ich immer gehören wollte, obwohl ich nie wusste, dass es ihn überhaupt gab.

Man hatte mir gesagt, dass ich selbst in der aktiven Arbeit mit einem speziellen Subjekt von einem längeren Zeitraum ausgehen müsste, in dem nichts Interesanteres passiert als Beobachten, Protokollieren und Musterfinden.

Doch so ist es nicht. Tag eins ist wirklich unglaublich.

Man bekommt nicht viele Informationen über sein Subjekt. Ich habe lediglich erfahren, dass #K622 Mechaniker ist, aber das war auch so ziemlich alles. Ich nehme an, ich werde schon noch früh genug jedes Detail seines Lebens kennenlernen, doch was man nie rauskriegt – außer dem, was man durch eigene Beobachtungen ableiten kann –, ist, warum derjenige beobachtet wird und ob es ein Endspiel ist. Mein Job besteht darin, einfach Bilder zu sammeln. Mein Stream geht an die Analysten, die ich nie zu Gesicht bekomme, und wird in Daten verwandelt, von denen ich nie etwas erfahren werde. Ich und die andern Jungs, wir sind bloß technische

Dienstleister. Wir tun, was uns gesagt wird. Wir drücken Knöpfe, die wir zu drücken gelernt haben, und stellen keine Fragen.

Obwohl ich total heiß auf meinen neuen Job bin, ist das, was ich den ersten Tag über tue, so sehr Routine, dass man es fast langweilig nennen könnte. Ich beobachte, wie #K622 von zu Hause zur Arbeit geht. Er bleibt nirgends stehen oder redet mit jemandem. Und danach gibt es keine weitere Bewegung bis zum Mittag, als er einen kurzen Spaziergang macht und etwas aus einer kleinen Tüte isst. Ich kann aber noch nichts über sein Alter, sein Äußeres oder seine Persönlichkeit sagen. Den Nachmittag verbringe ich damit, auf das Dach von seiner Arbeitsstelle zu stieren.

Doch gerade als ich anfange, daran zu zweifeln, ob das hier wirklich mein Traumjob ist, kommt #K622 überraschend aus dem Gebäude und rennt los. Mein Körper spannt sich, richtet sich in dem Stuhl auf, als ich sehe, wie er über Londons überfüllte Bürgersteige nach Osten läuft und sich sein Gang allmählich in eine Art Torkeln verwandelt. Als er den Stadtrand erreicht, bleibt er stehen und starrt zu der Pufferzone hinüber, als wenn er den Ort noch nie gesehen hätte, als ob er nicht einmal wüsste, dass dort eine Grenze ist. Dann legt er seine Hände um den Mund und scheint zu rufen. Ruft wie ein Irrer in Richtung des leeren Geländes.

Obwohl ich genau weiß, was ich tun müsste, zögere ich. Ich möchte nicht am ersten Tag überreagieren oder Aufmerksamkeit auf mich ziehen, doch es gibt einen Ablaufplan für die aktuelle Situation.

Mein Mund fühlt sich trocken an, mein Finger zittert leicht, als ich ein erhöhtes Gefahrenlevel auslöse und einen Alarm-Feed an das Analysten-Team schicke.

Ich zoome mich ran und gehe auf maximale Auflösung, als er gerade etwas Ungewöhnliches tut, etwas unvorstellbar Gefährliches. Er fängt an zu rennen, direkt auf den Zaun zu. Eine Sekunde lang verliere ich ihn auf dem Bildschirm, dann zoome ich zurück und bekomme einen klaren Blick auf seinen seltsamen, stolpernden Spurt über die Trümmerfläche. Sofort drücke ich die höchste Alarmstufe. Oben links auf dem Bildschirm erscheint ein orangefarbenes Quadrat.

Die Pufferzone ist einhundert Prozent steril. Niemand setzt einen Fuß in die Pufferzone. Es gibt keine Warnungen, es werden kein Tränengas oder Gummigeschosse verwendet. Wenn du die Zone betrittst, erwartet dich Kampfmunition, der Todesschuss.

Könnte das da ein Selbstmordkommando gegen den Zaun oder einen der Wachtürme sein? Wenn ja, dann ist das neu und unklug, denn er hat keine Chance, auch nur in die Nähe eines der Ziele zu kommen.

Er hat knapp ein Drittel der Pufferzone durchquert, als er sich plötzlich in eine Erdmulde duckt, die von einem großen Gebüsch verdeckt wird. In diesem Moment sehe ich den Jungen, der sich bereits dort befindet. #K622 packt den Jungen und reißt ihn in so was wie eine Umarmung, dann schlägt er ihm ins Gesicht. Der Junge fällt hin.

Beide ducken sich, klammern sich aneinander, vielleicht im Kampf – schwer zu sagen –, doch ohne große Bewegung. Es scheint, als ob sie versuchen, nicht in die Blickachsen des

Zauns zu geraten, was zwecklos ist, da dieser Feed direkt an den nächsten Wachturm geht.

Sie sind so dicht zusammen, dass sie zu einer Silhouette verschwimmen. Ich kann nicht erkennen, was sie tun. Eine Weile rührt sich nichts weiter. Das orangefarbene Quadrat in der Ecke meines Bildschirms wird genau in dem Moment rot, als sich die beiden wieder in zwei getrennte Gestalten zurückverwandeln und aus der Pufferzone herausjagen. Der Mann scheint den Jungen hinter sich herzuziehen. Der Junge hat ein weißes Bündel bei sich.

Ich signalisiere die nach dem Rückzug aus der Pufferzone verringerte Bedrohungslage, doch das Icon links oben auf dem Bildschirm bleibt rot.

Mein Herz schlägt jetzt ganz schnell. Im Training habe ich so ein Ereignis nie gehabt. Was auch immer sie dir an Situationen zumuten, selbst bei der schrecklichsten Übung weißt du, es ist nicht real. Aber das hier ist real. Ich beobachte zwei Leute, die um ihr Leben rennen, und weiß, dass sie nur noch Sekunden von ihrem Tod entfernt sind, einem Tod, der sich in Echtzeit auf meinem Bildschirm abspielen wird, direkt vor meinen Augen.

Ich zoome dicht an das weiße Bündel heran. Es lässt sich nicht identifizieren, doch ich markiere es.

Sie rennen weiter, zurück durch die Stadt, dann jagen sie in eine enge Gasse. Ich finde einen Blickwinkel, aber das Licht ist nicht gut. Es sind nur Schatten, die übereinanderliegen, also markiere ich die wahrscheinlichen Positionen von dem Mann und dem Jungen für alle, die den Feed sehen, ohne den Kontext zu kennen.

Eine Zeitlang passiert nichts, doch das Quadrat bleibt rot, und mein Herz pocht weiter. Meine Drohne ist unbewaffnet, aber irgendwo ist garantiert jemand kurz davor, einen Angriff zu initiieren. Wahrscheinlich ist schon ein Jet gestartet.

Ich lehne mich etwas auf meinem Stuhl zurück, lasse die Schultern sinken und ermahne mich, ein möglichst ausdrucksloses Gesicht zu bewahren. Ich möchte wachsam, aber entspannt wirken. Das Pochen in meiner Brust muss ein Geheimnis bleiben. Ich weiß nicht mal, ob ich aufgeregt oder erschrocken bin, doch ich weiß, in meinem Job darf ich beides nicht sein. Meine Aufgabe ist es, zu beobachten und zu handeln, nicht zu denken oder zu fühlen.

Ich habe inzwischen jedes Zeitgefühl verloren. Ich bin absolut auf die Schatten konzentriert, darauf fokussiert, jede Bewegung zu erfassen. Wenn jemand anderes als #K622 die Gasse verlässt, wird die Identifizierung schwierig. Ich hab nicht viel mehr als eine Silhouette, an die ich mich halten kann.

Die nächste Bewegung, die ich erkenne, sind zwei Gestalten – der Mann und der Junge. Der Junge hält noch immer das weiße Bündel fest. Es könnte ein Personentausch sein, ein Trick, aber ich muss von dem wahrscheinlichsten Szenario ausgehen und annehmen, dass die Gestalt immer noch #K622 ist.

Sie gehen eine Weile zusammen, schnell, aber ohne zu rennen, dann scheinen sie sich zu trennen, der Mann biegt nach Süden ab, weg von seiner Route nach Hause. Nach ein paar Sekunden sehe ich, dass der Junge ihm offenbar folgt.

Der Mann wendet sich an der nächsten Ecke nach links, dann noch einmal nach links. Ein Warnfenster leuchtet auf meinem Bildschirm auf: *Bestätigen #K622 betritt Zielzone.*

Ich zoome etwas zurück und entdecke das Eckgebäude, das sich unweit von dem Mann befindet und das als Zielzone markiert ist.

Ich bestätige den Befehl mit OK.

Genau in diesem Moment bemerke ich die veränderte Atmosphäre im Raum, die sirrende Spannung, die förmlich zu knistern scheint. Kurz löse ich den Blick vom Bildschirm und sehe, dass auch ein paar andere Monitore ein rotes Quadrat zeigen. Und etliche zeigen die Zielzone. Ich habe viele Monate als Trainee in diesem Raum verbracht, aber so etwas habe ich noch nie gesehen, so eine flimmernde Erwartung noch nie gespürt.

Ich wende meinen Blick wieder auf den Monitor, denn ich darf #K622 auf keinen Fall verlieren. Er nähert sich immer weiter der Zielzone. Er schaut hoch und scheint mir für einen Augenblick direkt aus dem Bildschirm ins Auge zu sehen, dann läuft er eilig weiter. Ich bleibe dicht bei ihm, zu dicht, um zu sehen, ob ihm der Junge immer noch folgt.

Ich weiß nicht, wieso, doch ich merke, wie ich ihn förmlich in Richtung des Ziels dränge. Ich will bei der Sache dabei sein. Ich will eine Rolle spielen in dem, was da um mich herum geschieht. Ich darf auf keinen Fall der aus dem Team sein, der den Ball verspielt. Diese Person habe ich hinter mir gelassen, es ist nicht die, die ich hier in der Basis bin. Ich habe mich noch nicht bewiesen, und es braucht Zeit, sich im Flugraum Respekt zu verschaffen, doch es wird mir gelingen. Ich muss nur abwarten und darf keinen Fehler machen.

In der Schule kann sich jeder plötzlich gegen dich wenden, auch wenn du ihn kaum richtig kennst und aus Gründen, die du kaum begreifst: weil du eine Hose trägst, von der du nicht wusstest, dass sie zu eng oder zu schlabberig sein könnte; weil du die falsche Frisur hast, die falsche Schultasche oder das falsche Gesicht. Du kannst von jedem beliebigen Fremden nach Lust und Laune gedemütigt werden. Du weißt nie, was als Nächstes kommt.

Hier in der Basis ist es einfach. Ich muss bloß meinen Job machen.

Er ist jetzt weniger als zwanzig Meter vom Zielobjekt entfernt.

Meine rechte Hand liegt auf dem Kontrollstick für die Drohne, die linke ist bereit, auf die Zielzonen-Bestätigung zu drücken.

Er überquert die Straße.

Er bleibt stehen, schaut nach rechts und links, dann betritt er das Gebäude.

Ich bestätige.

Bewaffnete Spione müssen bereits in Position gegangen sein, denn die Reaktion erfolgt fast sofort. Ein Lichtstreifen schießt nach unten, und der Bildschirm flackert weiß. Danach verdecken Flammen und eine Rauchwolke das Ziel.

Im Flugraum sagt niemand ein Wort oder rührt sich.

Der Rauch verzieht sich langsam. Ein paar Leute taumeln fort von dem Ort der Explosion. Das Eckgebäude existiert nicht mehr.

Hier: Schweigen. Bis von einem der Schreibtische ein Freudenschrei aufsteigt, dann folgen weitere, und plötzlich sind alle auf den Beinen, klatschen sich ab und fallen sich in die Arme. Zum ersten Mal sehe ich, dass ein paar hohe Tiere im Raum sind, die sich nicht abklatschen oder umarmen, sondern sich still zulächeln und Hände schütteln.

Wir sollen eigentlich nicht unsere Position verlassen, aber alle tun es, also stehe ich auf und taumele wie alle andern mit weit aufgerissenen Augen durch den Raum, um mitzufeiern. Drei Jungs, mit denen ich noch nie gesprochen habe – sie sind ein paar Jahre älter als ich –, nehmen mich in die Arme, als wenn ich irgendein lange verschollener Bruder wär. Ich hatte nie Geschwister. Bis jetzt.

Es ist verboten, öffentlich zu feiern. Außerhalb der Basis dürfen wir über keine Operation reden. Am Ende der Schicht müssen wir alle nach Hause gehen, als wenn nichts passiert wäre. Wir dürfen nicht mal unserer eigenen Familie erzählen, dass wir heute eine Gruppe von Terroristen ausgelöscht und dadurch Gott weiß wie viele Leben gerettet haben.

Die Menschen haben keine Ahnung, was ihnen Sicherheit gibt, wer die wahren Helden sind.

Ich gehe mit zwei anderen Piloten zusammen zum Parkplatz, Jungs, die ich heute Morgen noch kaum kannte, aber mit denen ich mich jetzt eng verbunden fühle. Wir schütteln uns die Hände, auf diese knochenbrecherische Art, wie sie beim Militär üblich ist (ich muss mir unbedingt solche Handtrainer-Dinger besorgen), und gehen auseinander. Ich steige in Mums klapprigen Nissan, und mein Blick verliert sich. Ich stecke den Schlüssel nicht in die Zündung, und ich greife auch nicht nach dem Sicherheitsgurt. Ich sitze bloß da, hinter dem Lenkrad, und habe das Gefühl, am Rand eines Wurmlochs zwischen der einen Welt und einer andern zu stehen.

Mein ganzer Körper prickelt noch immer von dem Adrenalin im Blut und sprudelt über vor Erleichterung, dass ich unter extremem Druck Kompetenz bewiesen habe, vor schierer Freude, dass ich mich in dieser Welt etabliert habe. Ich kann nicht mit diesem Gefühl nach Hause fahren, wo es verboten wäre, etwas von dem zu erzählen, was passiert ist, oder auch nur zu versuchen, den Nervenkitzel meines Tages zu kommunizieren. Ich kann nicht zurück in das Haus, wo man mir immer noch das Gefühl gibt, ich sei ein Kind.

Ich sollte meinen Lohn für eine eigene Wohnung sparen, doch es gibt etwas, das ich schon eine ganze Weile plane, ein kleines Vergnügen nur für mich, und ich beschließe: Heute ist es so weit. Ich muss feiern, was mit mir passiert ist. Ich muss allen zeigen, was ich geworden bin.

Ich google die Adresse des Verkaufsraums und docke mein Handy ans Armaturenbrett, damit es mich hinführt. Jetzt endlich kann ich sie mir leisten. Sie wird meine Ersparnisse wieder auf null bringen und meine Kreditkarte bis zum Äußersten belasten, aber es kommt ja jetzt regelmäßig Geld rein. Ich kann nur nicht länger zulassen, dass die Leute sich lustig machen, weil ich in einer Oma-Kiste herumfahre. Außerdem will ich sie einfach. Die Kawasaki Z750R. 750 Kubikzentimeter. Schwarz. Das Motorrad meiner Träume. Ich habe das Angebot verfolgt, und ich weiß, dass sie noch da steht. Aus zweiter Hand. Geringe Laufleistung. Bestzustand.

Das hier könnte das letzte Mal sein, dass ich in Mums dämlichem und uncoolem kleinem Oma-Vehikel fahre. Auch wenn es den Auszug bei meiner Mom nach hinten verschiebt – das Motorrad zu kaufen, wird alles verändern. Mit einem Schlag werde ich frei sein.

Ich drehe den Schlüssel, und das blecherne Stottern des Nissan lässt die Blase meiner Gedanken platzen. Nach dem Fliegen einer Drohne wirkt dieses Auto geradezu wie ein Eselskarren.

Als ich die Sicherheitspforte passiere und durch den letzten Ring aus Stacheldraht fahre, wirkt mein Körper leicht und doch zugleich schwer, als würde ich aus einem Traum der Schwerelosigkeit aufwachen.

SIEBEN MONATE SPÄTER

DIE STADT

Ich habe meinem Vater das Leben gerettet.

Weil er mich aus der Pufferzone geholt hat, kam er zu spät zu seinem Treffen. Wenn er nur ein paar Sekunden früher da gewesen wäre und es die Treppe hinauf geschafft hätte, wäre er tot wie all die andern, doch als die Rakete einschlug, war er noch im Treppenhaus.

Es war gegen Mitternacht, als sie ihn aus den Trümmern bargen, bewusstlos und kaum noch am Leben. Er wurde sofort in eine Klinik gebracht und operiert, um sein rechtes Bein zu retten.

Die ganze Führungsmannschaft des Corps wurde an jenem Tag ausgelöscht. Die Wut auf der gemeinsamen Beerdigungsfeier war so groß, wie ich es noch nie erlebt habe – Tausende brüllten, marschierten und sangen, auf Bannern wurde Rache geschworen, Menschenschwärme drängelten, um die Särge zu berühren, als ob sie heilige Reliquien wären, die Mut übertragen könnten. Ich verfolgte das Ganze auf einem Fernseher, der an der Wand der Krankenstation hing, wo Dad lag.

Fast eine Woche lang war ich halb taub und hatte Kopfschmerzen, als ob mein Hirn gegen das Schädelinnere geschrammt wäre. Aber trotzdem ging ich noch mal zurück, um die Brombeeren zu holen, die ich in der Pufferzone zurückgelassen hatte. Niemand konnte mich davon abhalten, ich brauchte das Geld mehr denn je.

Ich wartete bis zur Dämmerung, weil ich ja nur die Tüte holen und keine Beeren mehr pflücken musste. In weniger als einer Minute war ich rein und wieder raus. Einige der Früchte waren aufgeweicht und nur noch dunkler Brei, andere hatten einen weißen Flaum bekommen, doch die meisten ließen sich immer noch gut verkaufen. Nachdem ich ein paar Handvoll von den guten in Papier gewickelt hatte, suchte ich mir eine abgelegene Ecke und begann die Brombeeren anzubieten, die ganze Zeit auf der Hut vor den Gangs, die den Schwarzhandel kontrollieren, und immer bereit zur Flucht.

Weil ich vorsichtig sein musste, um nicht entdeckt zu werden, dauerte es eine Weile, alle Beeren loszuwerden, doch dann rannte ich zu Jakes Haus und schüttete ihm das Geld in die Hand, weil ich dachte, dass es ihm so vielleicht schwerer fallen würde, nein zu sagen. Er bat mich rein, und wir zählten die Münzen am Küchentisch, stapelten sie zu acht Ein-Pfund-Säulen und einem Häufchen Kleingeld.

«Ich verkauf's aber für zehn», sagte er unbeeindruckt.

«Es ist alt», antwortete ich und versuchte, nicht meine Enttäuschung zu zeigen, dass die schwere Handvoll Geld so wenig ergeben hatte.

«Deshalb kostet es nur zehn.»

Jake ist reich. Er hat immer Sachen an, die neu aussehen, und seine Familie fährt sogar einen Mercedes. Klar ist der Wagen verrostet und pustet grauen Qualm in die Luft, aber es ist trotzdem ein Mercedes.

«Den Rest schulde ich dir», sagte ich.

«Und wie willst du das Geld besorgen?»

Ich zuckte mit den Schultern und heuchelte Gleichgültigkeit, was den Ausgang unserer Verhandlung betraf, aber in Wirklichkeit wollte ich das Computerspiel mehr als alles andere. Es ist ein hyperreales Kriegsspiel, das auf einer Mission basiert, und mit so einer superscharfen Graphik, dass es fast wie ein Film wirkt. Jeder in der Schule ist besessen davon. Wenn du es nicht spielst, bist du eine Null.

Ich wollte Jake sagen, dass ich mein Leben riskiert hatte, um die acht Pfund zu bekommen, aber ich wusste, das würde nicht helfen. Je verzweifelter ich wirkte, desto wahrscheinlicher war es, dass er nicht nachgab. Er ist so ein Mensch. Sein Dad sicher auch. Man wird hier nicht reich, wenn man ein weiches Herz hat.

Es widerspricht allen Prinzipien zu betteln, doch nach einem verlegenen Schweigen hörte ich mich plötzlich sagen: «Komm, Mann. Das ist doch fast schon die ganze Summe. Bitte.»

Er kippelte mit dem Stuhl nach hinten, legte die Arme in den Nacken und neigte den Kopf zur Seite, damit er auf mich herabsehen konnte.

«Vielleicht sollte ich ja mal nett sein», sagte er und zog den Moment in die Länge.

Kurz blitzte in meinem Kopf die Vorstellung auf, wie sich

meine Füße um seine Stuhlbeine schlangen und ihn rücklings zu Boden warfen, doch ich zuckte nur mit den Schultern und zeigte keine Regung.

«Das ist alles, was du hast?», fragte er.

«Okay, vergiss es», sagte ich und schob die Münzen Richtung Tischkante.

Jake ließ den Stuhl wieder nach vorn fallen und legte seine Hände auf die verbliebenen Geldstapel. «Okay, okay. Ich geb dir zwei Wochen, um mir den Rest zu bringen.»

«Gut», sagte ich, wohl wissend, dass ich so wenig Chancen hatte, das Geld zu besorgen, wie Jake, dass er jemals sein Spiel zurückbekam.

Wir schlugen ein, und er gab mir die Disc.

Die nächsten Wochen war Mum halb verrückt vor Sorge, ob die Ärzte tatsächlich Dads Bein gerettet hatten, wann er wieder arbeiten konnte und wie wir überleben sollten, falls es gar nicht mehr ging. Die Zwillinge reagierten darauf, indem sie noch wilder, lauter und nerviger waren als sonst. Es war das Spiel, das mich alles durchstehen ließ.

Strom gibt es täglich für höchstens ein paar Stunden, doch wann immer wir Strom hatten, saß ich an meiner Konsole. Es reißt dich aus der Realität, zieht dich in seinen Bann und führt dich an einen Ort, wo alles okay ist, was seltsam klingt, weil das Spiel an dem einzigen Ort angesiedelt ist, von dem ich mir vorstellen kann, dass alles noch schlimmer ist als bei uns. Der größte Teil des Gameplays spielt in einer ausgebombten Stadt mit so gut wie keinen Zivilisten weit und breit und besteht aus Häuserkämpfen, schonungslosen bewaffneten Fights, und um dich herum sterben andauernd deine Freunde. Die Aufgaben sind extrem detailliert ausgearbeitet, sodass man maximal unter Druck steht. Wenn du nur für eine Sekunde nachlässt, bist du tot, was vielleicht nicht wirklich nach Spaß klingt, doch um ehrlich zu sein, fühle ich mich beim Gamen lebendiger, als wenn ich durch echte Straßen laufe, in der Schule bin oder mit meiner Familie rede. Das Adrenalin, das beim Spielen in dir hochschießt, macht dich wach, es pulsiert durch deinen Körper und bringt dich stärker in den Moment als alles andere.

Du glaubst vielleicht nicht, dass ein Spiel wie dieses hier so populär ist, doch es ist so. Jeder auf der Schule spielt es, sobald Strom da ist, und träumt davon, wenn es keinen gibt. Gamen ist eine Falltür, durch die wir jederzeit springen können und die uns von hier fortholt in eine andere Welt. In dieser anderen Welt sind wir es, die Waffen haben.

Dad kam nach zwei Monaten aus dem Krankenhaus, und auch wenn er nie über die Schmerzen klagt, zuckt er doch ständig beim Sitzen und Stehen zusammen oder wenn er mit hölzernen, schlurfenden Schritten geht. Seine Haut ist blass, die Augen sind eingesunken und vernebelt. Selbst wenn er mit dir redet, hat sein Gesicht etwas Fernes, Bedrohliches, so als ob sich ein Teil von ihm ganz woanders befindet und etwas zurückhält.

Schon bei den kleinsten Dingen rastet er aus, doch noch schlimmer ist dieses dauernde Gefühl, dass er, selbst wenn er nicht wütend ist, es irgendwie doch ist. Die Bedrohung ist immer da, wie bei einem Wachhund.

Er hat an dem Tag seinen Cousin verloren und ich weiß

nicht wie viele Freunde. Er hat nie erzählt, wieso er bei dem Treffen war. Das Corps wird bei uns zu Hause nie offen erwähnt, doch ich erinnere mich, wie ich lange vor der Verletzung abends im Bett oft mitbekam, dass meine Eltern über das Thema stritten. Ich versuchte, etwas davon aufzuschnappen, auch wenn es sicher nicht für mich bestimmt war. Und so erfuhr ich, dass Dad früher Kämpfer gewesen war, aber nach meiner Geburt aus dem Corps austrat, und dass sie wiederholt versucht hatten, ihn aufs Neue zu rekrutieren. Doch Mum sagte jedes Mal nein. Ich habe all diese gedämpft nach oben dringenden Variationen seiner Argumente gehört, so oft, dass es ein Geräusch ist, das mir beim Einschlafen hilft.

Vielleicht war er bei dem Treffen, um abzulehnen, vielleicht wollte er aber auch zusagen, oder vielleicht gehörte er schon seit einer Weile wieder dazu. Ich werde nie erfahren, was seine Rolle war oder gewesen wäre, wenn es nicht den Raketenangriff gegeben hätte, doch es ist offensichtlich, was jetzt passiert ist.

Dad geht immer noch zur Arbeit, genau wie vorher, in demselben blauen Overall, doch wenn er nach Hause kommt, sind seine Hände sauber, und seine Sachen haben nicht einen einzigen Ölfleck. Er hat sogar den Schreibtisch des Werkstattleiters bekommen. Der Mann, der angeblich sein Chef ist, muss jetzt den Laden von einem alten, wackeligen Tisch in der Ecke aus führen.

Das Corps kann so was tun. Wenn sie sagen, er soll Platz machen, dann muss er eben Platz machen. Dads Chef kann nichts dagegensetzen. Ich weiß nicht, ob er Dad immer noch Lohn zahlt oder ob sich das Corps darum kümmert, doch ich weiß, dass wir jetzt mehr Geld haben. Dad bringt Essen nach Hause, das man in keinem Laden findet, und manchmal sogar Blumen für Mum, die so tut, als ob sie sie eigentlich nicht will, aber man sieht ihr an, dass das nicht stimmt.

Es ist klar, dass Dad den Posten von einem der toten Männer übernommen hat und meine Mutter seine Entscheidung akzeptiert. Offenbar hat der Angriff ihre Meinung über das Corps geändert.

Dad ist jetzt ein wichtiger Mann, und man kann den Unterschied überall spüren. Es ist merkwürdig, denn der langsame, steife Gang lässt ihn älter und schwächer wirken, doch plötzlich machen die Leute Platz für ihn, lassen ihn in jeder Schlange vor bis an die Spitze, manchmal lehnen sie sogar ab, wenn er in einem Geschäft oder Café zahlen will, und das alles nicht etwa aus Mitleid. Man sieht es an ihrem Blick. Da ist etwas anderes, entweder Respekt oder Angst, ich weiß es nicht. Oder vielleicht gibt es auch das eine nicht ohne das andere.

Zu Hause erzählt er noch immer nichts über das Corps, und es kommt auch nie irgendein Anruf oder eine Nachricht. Das einzige Zeichen seiner neuen Tätigkeit ist, dass täglich Jungs in meinem Alter vorbeikommen und schriftliche Nachrichten persönlich überbringen. Dad liest sie jedes Mal direkt im Flur und kritzelt eine Antwort auf den Zettel, der dann wieder zu Fuß zurückgeschickt wird.

Einige Wochen später ruft Dad mich abends, nachdem die Zwillinge im Bett sind, ins Wohnzimmer und fragt, ob ich Interesse hätte, mich zum Boten ausbilden zu lassen. Er erklärt nicht, um was für Nachrichten es geht oder für wen sie sind, doch das muss er auch nicht.

Sofort schlägt mein Herz schneller, beinahe als hätte ich einen Sprint hingelegt. Ich schaue zu Mum, die mit verschränkten Armen dasteht und sich an Dads Schulter lehnt. Sie nickt knapp. Die Sache muss also zwischen ihnen besprochen sein. Sie fordern mich auf, mich zu erheben und meinen Platz in dem Kampf einzunehmen.

Ohne nachzudenken, was das tatsächlich bedeutet, antworte ich mit einem spontanen Ja.

«Bist du sicher?», fragt Dad und sieht mich prüfend an.

Es ist, als ob sich das Zimmer um die Achse seines starren Blicks drehen würde, als ich bestätigend nicke. Diese kurze, simple Unterhaltung hat irgendwie schon alles verändert.

Sein Blick wird weicher, sein Mund zeigt den leisen Anflug eines Lächelns, und er weist mir mit gestreckter Hand den Weg an den Esstisch, als wenn ich ein geladener Gast wäre. Mum zieht sich zurück.

Als ich sitze, wendet er sich zu den Eckregalen um und zieht ein abgewetztes Buch mit dem Wort *London* über einem roten A und einem blauen Z auf dem Cover heraus. Einige Seiten haben sich aus der Bindung gelöst, das Papier ist dünn und vom häufigen Gebrauch ziemlich zerknittert. Er legt die Seiten auf dem Tisch aus, fünf mal zwei nebeneinander und schiebt sie zusammen, dass sie eine lange rechteckige Karte ergeben. Das ist es, was von London noch übrig ist, ein schmaler, brodelnder Streifen übervölkertes Gebiet, geformt wie ein Klebepflaster und abgeschnitten vom Rest der Welt. Viele nennen das Stück deshalb auch einfach *den Streifen.*

Als ich mich näher über die wie ein Mosaik zusammengelegten Seiten beuge, stelle ich fest, dass sie den Streifen zeigen, wie er früher war. Zahllose Wahrzeichen und Gebäude auf diesen Blättern sind heute nur noch Ruinen, doch es sind die Parks, die mir als Erstes ins Auge springen. In der Stadt, die ich kenne, gibt es kein Grün: Jeder Zentimeter freies Gelände ist mit Zelten für die Familien gefüllt, die ausgebombt wurden. Es ist so gut wie unmöglich, eine Genehmigung zu bekommen, London zu verlassen, also wird für jedes Haus, das getroffen wurde, ein weiterer Winkel herrenloses Land besetzt. Man denkt immer, es ist kein Platz mehr da, doch irgendwie rutschen wir nach jedem Angriff enger zusammen.

Vier mit Textmarker sauber gestrichelte Linien, die ein Gewirr von Straßen durchschneiden, von denen es keine mehr gibt, markieren die Grenze. Ein schmales Rechteck innerhalb des Zauns ist mit dichten Bleistiftstrichen schraffiert, um die Pufferzone anzuzeigen.

Ich habe oft die Form von London, wie es jetzt ist, auf meinem Bildschirm gesehen, aber noch nie, dass der Rand meines Universums nur eine Linie auf einer Karte ist, die durch eine Stadt geschlagen wurde, welche sich einmal ohne Grenzzaun in die freie Welt ausbreitete.

Ich starre gebannt auf die Seiten, bis mein Blick auf den Rest des A–Z fällt, der am Rand des Tischs liegt. Eine verschwundene Metropole. Ich habe nie einen Fuß in dieses alte London gesetzt, aber Mum und Dad lebten als Kinder in diesen verlorenen Straßen und ahnten nichts von der Zerstörung, die der Stadt drohte. Ich weiß nicht, wie viele dieser Häuser jenseits des Grenzzauns noch stehen oder wer in ihnen wohnt.

Bis zu dem Tag, als mein Großvater starb, war sein am meisten geschätzter Besitz ein Schlüssel. Zu einem Haus irgendwo da draußen. Wir haben den Schlüssel immer noch, doch das Haus muss wohl inzwischen jemand anderem gehören.

Ein plötzliches Verlangen erfüllt mich. Ich würde alles geben, ein Mal diesen Ort zu sehen, nur für einen Tag. Doch das ist ein sinnloser Traum. Ich muss mich mit dem Gedanken trösten, dass das Leben hier für mich vielleicht einfacher ist als für meine Eltern, denn mehr als den Streifen habe ich ja nie gekannt. Die Welt vorher und die Welt auf der anderen Seite sind ganz einfach unvorstellbar für mich.

Dad zieht seinen Stuhl neben meinen und setzt sich.

«Du hast das noch nie gesehen, was?», fragt er und beäugt mich mit großem Interesse. «Wie es früher war.»

Als er spricht, mit sanfter und leiser Stimme, bin ich getroffen von der Stärke seiner Präsenz. Oder eher von der Aufmerksamkeit, die er in diesen Tagen, wie es mir vorkommt, nur selten auf mich richtet.

«Ich habe es selber eingezeichnet», sagt er. «Siehst du die Grenze? Die Pufferzone?»

Ich nicke, abgelenkt von seinem beruhigenden Geruch, einer bestimmten Art von mit Tannenduft versetzter Seife, vermischt mit einer immer präsenten Note Motorenöl. Dieser Duft ist mehr als alles andere die Essenz meines Vaters, unverändert seit meiner frühesten Kindheit.

«Ja», sage ich und fahre mit dem Finger die vier Linien des Stadtrands entlang, dann sehe ich wieder zu meinem Dad und merke zum ersten Mal, dass seine Stoppeln grau sind. Einen Herzschlag lang blitzt in mir die Vision auf, dass mein Vater sterblich ist, inzwischen sterblicher denn je.

Als ob er meine Gedanken lesen könnte oder umgekehrt ihm gerade der gleiche Gedanke gekommen wäre, sagt Dad: «Du musst es nicht tun. Es ist deine Entscheidung.»

«Ich weiß», antworte ich. «Ich will es aber.»

«Es ist gefährlich.»

«Ich weiß.»

«Und wenn etwas dringend ist, dann *ist* es dringend. Du musst immer bereit sein.»

«Das werde ich.»

«Es wird viel werden. Du hast noch die Schule, und es gibt auch Hausaufgaben. Diese Dinge hören nicht auf. Sie sind genauso wichtig.»

«Es sei denn, es gibt eine Nachricht.»

«Ich habe gesagt, du machst beides. Und du kannst nicht einfach kommen und gehen, wie du Lust hast. Wenn du dabei bist, bist du dabei.»

«Dann bin ich dabei», sage ich.

«Du musst gründlich darüber nachdenken. Es ist eine große Entscheidung.»

«Ich bin dabei.»

Er betrachtet mich mit stechendem Blick, bevor er mit leiser Stimme sagt: «Gut.»

Das Wort hallt leise in meiner Brust nach, als ob zwei knirschende Zahnräder ineinandergreifen und plötzlich synchron laufen. Jahrelang haben wir gegeneinander gekämpft und über jede alltägliche Kleinigkeit gestritten. Bei allem, was er sagte, wollte ich unbedingt dagegenhalten. Doch etwas in seinem Tonfall und in der Art, wie er mich plötzlich ansieht, vermittelt mir ein Gefühl, dass wir in diesem Moment einen Waffenstillstand eingehen.

«Es gibt ein paar Grundregeln», sagt er. «Kein Handy. Nicht für Nachrichten, nicht für die Wegsuche, für gar nichts. Handys sind unsicher, und Handy-Signale leiten Raketen.»

Ich nicke.

«Und auch nicht für die Adressen. Es bleibt alles hier drin.»

Er stößt mir gegen die Schläfe, fester, als angenehm ist, und macht damit klar: Das ist hier kein Spiel.

«Früher gab es eine Anleitung, wie man eine Nachricht zerstört, wenn man einer Patrouille in die Hände fällt. Doch es gibt keine Patrouillen mehr, nur noch Drohnen. Trotzdem muss dir klar sein, dass nichts, was auf Papier steht, je in Feindeshände gelangen darf. Das ist von unbändiger Wichtigkeit.»

Mich beschleicht ein merkwürdiger Drang, zu lächeln. Es liegt an dem Wort «unbändig». Wer sagt denn heute noch «unbändig»?

Ich versuche, mein Gesicht unter Kontrolle zu halten. Manchmal denke ich, je ernster die Atmosphäre ist, desto schwerer fällt es mir, nicht zu lachen.

«Was grinst du?», faucht er.

«Ich grins doch gar nicht.»

«Konzentrier dich», sagt er und hämmert mit einer Fingerspitze auf dem Tisch rum. Ich sehe, wie ein Anflug von Zweifel in seinen Augen aufblitzt. Er ist sich nicht sicher, ob ich für die Aufgabe wirklich bereit bin.

«Du wirfst nie irgendwas einfach weg», fährt er fort. «Du gibst es immer mir, und ich verbrenne es. Hast du verstanden?»

«Verstanden.»

Er starrt mich einen Moment lang prüfend an, dann lässt er die offene Hand über die Karte fliegen. «Wo sind wir?»

Für einen Augenblick denke ich, es ist nur so eine komische, unpräzise Frage, mit der ich für mich klären oder irgendwie beweisen soll, wirklich bei der Sache zu sein und zu tun, was er verlangt, doch dann wird mir klar, dass ich einfach auf der Karte unseren Standort zeigen soll. Ich schaue auf das erschreckende Wirrwarr von Linien und Wörtern, die unter dem Druck des prüfenden Blicks meines Vaters plötzlich vor meinen Augen verschwimmen.

Ich will auf keinen Fall versagen, doch mein Kopf scheint entschlossen, nutzlos vor sich hin zu rattern, und mahnt nur: Konzentrier dich!, anstatt tatsächlich eine Antwort auf Dads Frage zu suchen.

«Los, schneller, mach schon. Wo sind wir?»

Ich entreiße meinem tobenden Hirn einen Moment der Klarheit und lege den Finger auf unsere Straße, fast ganz oben auf der Karte, gleich über einem durchgestrichenen roten Kreis, der die Überreste einer U-Bahn-Station markiert. Es ist ein seltsamer Gedanke, dass einmal Zigtausende von Menschen jeden Tag diese Stadt durchquert haben, unsichtbar, unterirdisch und irgendwo an diesen kleinen Kreisen wieder ans Tageslicht kamen, die die Karte überziehen.

Er nickt, dann deutet er auf eine Straße auf der gegenüberliegenden Seite.

«Du gehst hier hin. Nummer 16A», sagt er, stemmt sich aus seinem Stuhl hoch und geht in Richtung Küche. «Ich gebe dir fünf Minuten, um deine Route auswendig zu lernen», ergänzt er, als er sich an der Tür noch mal umdreht.

Ich suche mir schnell eine einfache Strecke und folge ihr dreimal mit dem Finger, dann schließe ich die Augen und folge ihr noch zweimal im Kopf.

Dad kommt zurück und hat zwei Becher dampfenden Tee sowie eine angebrochene Schachtel Kekse in den Händen.

«Schieß los», sagt er, setzt sich wieder an den Tisch und reicht mir die Kekse.

Ich beiße ab und schaue nach unten.

«Keine Karte. Keine Karte», sagt er freundlich. «Sag mir einfach die Route.»

Ich spule eine Folge von «hier rechts, da links» herunter. Er sieht mich konzentriert an und verfolgt den Weg in seinem Kopf.

«Das ist okay», sagt er. «Aber schau noch mal hin. Denk noch mal nach. Du weißt nie, wann du überwacht wirst. Drohnen können Bewegungen zwischen zentralen Adressen speichern. Dann landest du vielleicht auf einer Überwachungsliste. Du musst also deine Route verschleiern. Enge Straßen und Gassen sind nützlich, wenn du dadurch

Blickachsen kaschieren willst.» Er nimmt ein Blatt vom Tisch und beugt sich so zu mir, dass wir beide draufsehen können. Dann deutet er mit der Spitze eines Teelöffels auf die Karte. «Hier und hier gibt es Läden mit einem Vorder- und Hinterausgang. Um den Parkplatz herum gibt es einen überdachten Weg, der günstig ist. Kannst du deine Route noch mal neu planen?»

Ich nicke.

«Fünf Minuten», sagt er und reicht mir die lose Seite, dann geht er wieder zurück in die Küche.

Ich denke noch einmal neu: eine gewundene, umständliche Strecke diesmal, und habe Probleme, sie mir in allen Details einzuprägen.

Er kommt zurück und testet mich sofort, unterbricht mich aber nach ein paar Straßen. «Nein, nein, nein. Du verläufst dich. Viel zu kompliziert. Unmöglich, dir alles zu merken. Such etwas Einfacheres.»

Wir beißen uns durch fünf Routen und durch sämtliche Kekse, bevor er zufrieden ist. Er testet mich mehrmals, dann zieht er ein kleines, in der Mitte gefaltetes und zugeklebtes Stück Papier aus seiner Hemdtasche und reicht es mir.

«Du darfst es auf keinen Fall lesen», sagt er. «Komm nicht in Versuchung. Jede Kleinigkeit, die du über das Corps erfährst, bedeutet eine zusätzliche Gefahr. Je weniger du weißt, desto sicherer für dich. Je mehr du weißt, desto schneller bist du ein toter Mann.»

Ich nicke, stehe auf, um die Nachricht in meine Jeanstasche zu stecken, und kämpfe wieder mit dem komischen Drang zu lächeln. Toter Mann. Nicht toter Junge.

Er steht auf, stöhnt, während er sich von seinem Stuhl erhebt, und legt mir eine Hand auf die Schulter. Mir kommt der Gedanke, dass es Monate her sein muss, seit er mich das letzte Mal berührt hat. In der Pufferzone, als er mir ins Gesicht schlug. Es ist, als stammten die Berührungen von zwei völlig verschiedenen Menschen.

«Du läufst nicht schnell, aber du trödelst auch nicht», sagt er. «Versuch, jeden Eindruck zu vermeiden, als ob du ein Ziel hättest. Geh einfach bloß. Du machst nichts weiter als einen Spaziergang. Verhalte dich vollkommen natürlich.»

«Okay.»

«Vor Ort wartest du auf eine Antwort, aber nicht länger als fünf Minuten. Und zurück gehst du eine andere Route als hin. Kompliziert ist gut – zurück wirst du dich ja schon nicht verirren –, aber brauch nicht zu lange, sonst mach ich mir Sorgen. Und, bist du immer noch sicher, dass du das wirklich willst?»

Ich fühle mich absolut sicher und gleichzeitig vollkommen unsicher. Ich weiß, das hier ist etwas, das ich tun muss, und ich weiß auch, dass die Folgen unkalkulierbar sind. Ich schlucke, fahre mit dem Finger über die perforierte Kante der Nachricht in meiner Tasche und nicke.

«Es ist deine Entscheidung», sagt er.

«Ich weiß. Ich will es.»

«Gut. Jetzt gib mir dein Handy und geh.»

«Jetzt?» Es ist spät. Sonst fangen sie um diese Zeit immer an, mich zu nerven, ich soll ins Bett gehen.

«Jetzt», sagt er und streckt mir die Handfläche entgegen.

Wie immer habe ich kein Guthaben mehr. Mein Handy ist mehr oder weniger nutzlos, trotzdem ist es ein komisches Gefühl, es abzugeben.

Er nimmt das Handy und legt es auf den Esstisch neben die Karte. Als wir durchs Wohnzimmer zur Haustür gehen, scheint mir unser Haus plötzlich kleiner als sonst: Die Decke wirkt niedriger, die Wände dichter zusammengedrängt.

Gerade als ich aus der Tür will, taucht Mum auf. Ihr Gesicht wirkt streng und angespannt. Sie drückt mich fest an sich, sagt aber nichts. Ich denke an die Route, die ich mir eingeprägt habe, klammere mich an die Details, die mir zu entgleiten drohen, und winde mich los, statt auch sie zu drücken. Kaum stehe ich draußen in der kalten Nachtluft, bereue ich es. Während ich forteile, spüre ich schmerzlich den Wunsch, ich hätte sie ein letztes Mal an mich gedrückt, doch es ist zu spät. Ich bin unterwegs.

DIE BASIS

Ich habe meinen Vater nie kennengelernt, doch er muss irgendwo da draußen sein, und wenn er wüsste, was ich mache, wäre er sicher stolz auf mich. Ich kämpfe für mein Land, und welcher Mann würde sich das nicht von seinem Sohn wünschen?

Mum hat mir nur wenig über ihn erzählt: Er war Musiker, bloß eine kurze Affäre, und als er erfuhr, dass sie ein Kind erwartete, ist er auf und davon. Einmal hat sie mir erzählt, dass er gut aussah, sie sagte es aber so, dass es wie eine Beleidigung klang, als ob er sonst keine Qualitäten hätte. Mum ist hilflos, was Computer angeht, und würde nicht mal, wenn es um Leben und Tod ginge, das simpelste Video-Game schaffen, das heißt, mein Gamer-Talent muss ich von ihm haben. Beim Drohnenfliegen geht es vor allem um Timing und Geschick, darum, die Maschine zur Verlängerung meines Körpers zu machen, was, wenn man es genau bedenkt, ganz ähnlich ist wie bei einem Musiker.

Meine Eltern hatten seit Dads Abgang keinen Kontakt. Er kann nicht vergessen haben, dass es mich gibt, deshalb stelle ich mir vor, dass ich als eine Art Geist stumm im Hintergrund seines Lebens herumwabere. Manchmal muss in ihm doch die Frage hochkommen, wer ich wohl bin und was aus mir geworden ist.

Ich kann nicht verstehen, dass zwei Jahrzehnte einfach dahingehen, ohne dass man auch nur einmal sein Kind treffen will, wissen will, wie es aussieht, ob es ein Junge oder ein Mädchen geworden ist. Wahrscheinlich gibt es sogar noch Halbgeschwister von mir, die ich nie kennenlernen werde, die auf der Straße an mir vorbeilaufen könnten, ohne dass wir voneinander wüssten.

Als ich noch jünger war, dachte ich an meinen Vater weniger als Person irgendwo draußen in der Welt, sondern eher als jemanden, der in mir ist. Wie ein freundlicher, imaginärer Erwachsener, der mich verstehen würde, weil er meine Gene hat. Manchmal war aber schon der flüchtigste Gedanke an ihn wie eine Glasscherbe, die mir in der Kehle saß und mich bei jedem Atemzug, jedem Schlucken verletzte.

Mit der Zeit habe ich gelernt, dass es Stärke bedeutet, wenn man genug Selbstbeherrschung besitzt, zwischen den beiden Gefühlen zu wählen. Wenn du spürst, dass du in Richtung schmerzhafte Gedanken driftest, gibt es immer Möglichkeiten, sie loszuwerden, bevor sie dich runterziehen. Ich kann es nicht immer verhindern, an meinen Vater zu denken, doch ich habe mir antrainiert, dass ich, wenn es geschieht, nichts empfinde. Vermutlich hat er in Bezug auf mich das Gleiche getan.

Oft denke ich, dass meine Füße den Boden nicht so berühren, wie sie es tun müssten, dass ich vielleicht nicht gerade schwebe, aber trotzdem nicht richtig geerdet bin. Es gibt so einen notwendigen Ballast, den jeder andere zu besitzen scheint und von dem ich inzwischen weiß, dass ich ohne ihn nicht leben kann.

Wenn ich Leute in Bars oder auf Partys beobachte, wie sie reden und lachen, wirkt das immer so unangestrengt. Ich habe mir beigebracht, mich genauso zu verhalten, aber es ist jedes Mal ein totaler Krampf, irgendwie unecht. Was nicht heißen soll, dass ich unglücklich bin. Ich bin inzwischen glücklicher, als ich es je war. Ehrlich gesagt, ich bin verliebt. In mein Motorrad. Ich wette, wenn jeder so eine Maschine hätte, dann gäbe es den großen Weltfrieden, denn es existiert kein schnellerer Weg zur Glückseligkeit, als deine Beine um eine dieser Schönheiten zu schlingen, den Motor aufheulen zu lassen und loszubrausen.

Nach ein paar Kurven vergisst du komplett, dass du fährst. Die Maschine wird zu einem Teil von dir. Sie wird deine Superkraft. Du bist schneller als jedes Auto, so flink wie ein Gepard, und die Beschleunigung ist so hart und perfekt, dass sie ganz nah ans Fliegen herankommt.

Wenn ich auf meinem Motorrad sitze, verschwindet jede Sorge, jedes Problem. Es gibt nur noch mich und den Asphalt. Die totale Fokussierung. Keine Vergangenheit, keine Zukunft, keinen Körper, nur noch die reine Bewegung. Das Einzige, was mich weiter an die Realität bindet, ist das leise Kribbeln der Gefahr, des Risikos, der Gedanke, der bei jeder Berührung der Armaturen in mir hochploppt, dass der kleinste Fehler fatal sein könnte.

Das ist die Droge. Es gibt nichts, was einem mehr das Gefühl gibt, lebendig zu sein, als die Hand auszustrecken und den Tod unterm Kinn zu kraulen.

Ich bin wie geschaffen für diese Maschine, und sie ist wie geschaffen für mich. Die Welt kann ein dorniger und verwirrender Ort sein, aber wenn ich auf meiner Kawasaki sitze, weiß ich genau, wer ich bin, und dass alles, was ich tue, einfach nur gut ist. In der übrigen Zeit bin ich mir da nicht so sicher.

Ich lege Geld zur Seite, um von zu Hause auszuziehen, aber das wird noch dauern. Das Geld scheint so schnell wieder zu verschwinden, wie es gekommen ist. Meistens weiß ich nicht mal, wo es hin ist. Immer wieder versuche ich, mich zu ermahnen, disziplinierter zu sein, mich weiter auf mein Ziel zu konzentrieren, eine eigene Wohnung zu finden, aber oft gehe ich nach der Arbeit noch mit den anderen Jungs weg, und wenn du erst mal dabei bist, dann musst du auch mithalten.

Ich hab immer gedacht, Mum *will*, dass ich noch zu Hause wohne, auch wenn wir ständig streiten und uns nicht viel zu sagen haben. Ohne mich wäre sie schließlich ganz allein. Deshalb ist es ein Schock, als sie mich eines Abends nach der Arbeit ins Esszimmer ruft und mir erklärt, dass ich ab jetzt Miete zahlen soll.

«Okay, das Gleiche wollte ich auch schon vorschlagen», sage ich. Ich habe tatsächlich mit dem Gedanken gespielt, es ihr anzubieten, was natürlich einen viel besseren Eindruck gemacht hätte, aber dafür ist es jetzt zu spät.

«Und was hat dich dran gehindert?», fragt sie und zieht

ihre uralte weinrote Strickjacke fester um den Körper, als ob mein Erscheinen im Zimmer ein kalter Wind wäre.

Ich erhasche einen Blick auf uns in dem Mahagoni-Spiegel, der schon so lange, wie ich mich erinnern kann, über dem Esstisch hängt: ein junger Mann in Uniform und eine grauhaarige Frau in schäbigem Strickzeug. Die Vorstellung, dass wir beide irgendwas miteinander zu tun haben, ist grotesk.

Als ich ihren stählernen Blick sehe, dieses kalte Starren aus ihren blauen Augen, spüre ich, wie sich mein Rückgrat versteift. Ich will mich auf gar keinen Fall von ihr einschüchtern lassen.

«Ich ... ich *wollte* es, hab ich gesagt», blaffe ich zurück, um ihr endlich klarzumachen, dass sie nicht mehr so mit mir umspringen kann.

«Okay. Aber es gibt ein Problem. Setz dich hin.»

Sie zieht einen Stuhl vor und setzt sich.

«Ist schon in Ordnung», sage ich. «Ich zahl gern die Miete.»

«Setz dich», sagt sie mit einer Stimme, die Gehorsam fordert, und in einem bestimmten Ton, dem ich noch nie standhalten konnte.

Während ich mich auf den Stuhl am anderen Tischende fallen lasse, betrachtet Mum meine Hände. Es entsteht eine seltsame Pause. Die Atmosphäre ist weniger wie ein Gespräch zwischen Mutter und Sohn als wie ein Bewerbungsgespräch.

«Es ist überhaupt nicht in Ordnung», sagt sie. «Weil es Zeit ist, dass du etwas zu deinem Unterhalt beiträgst. Du bist erwachsen, und du bekommst ein Gehalt. Ich kann nur kein Geld annehmen, das du in der Basis verdienst. Mit dem, was du da tust.»

Im ersten Moment verstehe ich gar nicht, was sie mir eigentlich sagen will. Ich starre sie bloß an.

«Es ist schmutziges Geld», sagt sie mit flacher Stimme, und der trockene blasse Strich ihres Mundes bleibt völlig ausdruckslos. «Blutgeld. Damit will ich nichts zu tun haben.»

Die Bedeutung sickert nur langsam ein. Ich spüre, wie ich rot anlaufe, meine Wangen geradezu glühen vor Entrüstung. Mein Kiefer klappt sinnlos auf und zu.

«Was?», sage ich. «Mein Geld ist nicht gut genug für dich?» Als die Worte aus meinem Mund kommen, weiß ich genau, dass es bloß eine hohle Phrase ist, die ich hervorbringe, aber ich bin verwirrt, und mein Hirn funktioniert nicht. Ihre Anklage ist so verächtlich, so illoyal, so eine Beleidigung, dass ich viel zu schockiert bin, um die passende Antwort zu finden.

«Du weißt, was ich von deinem Job halte. Ich denke, was du tust, ist nicht richtig.»

Sie hat das mein ganzes Leben so gemacht und trotzdem überrascht es mich noch. Ich weiß instinktiv und aus dem Bauch heraus, dass, was immer ich tue, in den Augen meiner Mutter falsch ist, und doch kann ich es aus irgendeinem Grund nicht glauben. Jedes Mal wieder verletzt es mich, wenn sie ihrer Verachtung für mich Ausdruck verleiht.

Ich drücke die Schultern durch, bemühe mich, meine Stimme leise und ruhig zu halten, und kämpfe gegen den plötzlichen Krampf an, der meine Luftröhre erfasst. «Ich schütze dieses Land vor unseren Feinden», sage ich. «Vor Terroristen, die uns vernichten wollen! Du hast ja überhaupt keine Ahnung, was ich tue!»

«Ich weiß genug. Es ist in den Nachrichten.»

«Du weißt gar nichts!»

«Du fliegst Drohnen. Mehr muss ich nicht wissen. Ich will kein schmutziges Geld in meinen Händen, aber ich will auch nicht, dass du hier rumliegst, dein Geld verplemperst und es nicht schaffst, wie ein normaler Erwachsener für dich selbst zu sorgen. Deshalb habe ich mir gedacht, wir könnten das Geld an eine Hilfsorganisation spenden. Schlag eine vor.»

Ich weiß, sie hat null Ahnung von Militärstrategie und Antiterrorkampf, aber ich finde nie die richtigen Worte, um mich gegen sie zu verteidigen. Ich denke immer, eines Tages werde ich aufstehen und mich gegen sie durchsetzen, doch ich weiß nicht, wann das geschehen wird.

«Es gibt Organisationen, die Hilfsgelder sammeln für die Menschen im Streifen», spricht sie weiter. «Die Blockade verhindert eine ausreichende Versorgung der Menschen mit Medikamenten. Oder wir können nach einer Organisation für Waisenkinder suchen. Das ist vielleicht passender. Wenn man bedenkt, was du getan hast.»

Ich möchte ihre Aussagen widerlegen, dagegen argumentieren, empört losbrüllen, mit ungebremster Wut losschreien – doch nichts davon schafft es über meine Lippen.

«Wenn ich in deinen Schuhen steckte, würde ich auch die Wahrheit nicht hören wollen», redet sie weiter. «Aber wenn es dir niemand anderes sagt, bleibt es wohl an mir hängen.»

«Ich bin gut in dem, was ich mache!», brülle ich und befehle meinen Beinen, mich aus dem Zimmer zu tragen, mich von ihrer Gegenwart zu befreien, doch aus irgendeinem Grund kann ich mich nicht rühren.

«Das macht es nur umso schlimmer. Ich will nichts weiter hören.»

«Wieso kannst du mich nicht anerkennen? Du tust immer so, als ob ich ein Versager bin, aber ich habe etwas erreicht! Ich werde bezahlt! Ich habe Kollegen, die mich als den sehen, der ich bin, und du ... meine eigene Mutter ... du denkst, du kannst über mich urteilen und mich kritisieren ...»

«Was erreicht?»

Das Blut pulst in meinen Ohren, und ich merke, dass ich aufgestanden bin, der Stuhl ist nach hinten gekippt. Mein Mund ringt nach Luft für eine weitere Tirade, als ich plötzlich sehe, dass Tränen in ihren Augen schimmern. Sie ist ganz still, hat die Hände vor sich auf der Tischplatte gefaltet, und der graue Pferdeschwanz hängt schlaff über ihren steifen, geraden Rücken.

Meine Hand ballt sich zur Faust, und ich schlage auf den Tisch.

«JA. Ich hab was erreicht.»

Ein silberner Kerzenhalter fällt polternd um, und die Kerze rollt in einem langsamen Bogen über die Tischplatte. Ich gehe, aber auf einmal merke ich, dass ich schwanke, presse die Hände gegen den Türrahmen und halte den Kopf nach unten gesenkt. Das Geräusch der Kerze, die zur Tischmitte zurückrollt, erfüllt das Zimmer.

«Dann gehen wir also zu dieser medizinischen Hilfsorganisation», sagt sie.

Ich drehe mich um, sehe sie an. Sie schaut nicht hoch.

«Die anderen Jungs auf der Basis ... die sind Helden für ihre Eltern.»

Sie schüttelt den Kopf, schaut aber immer noch nicht auf. «Ich verstehe das nicht. Wieso siehst du nicht, was du tust?», fragt sie. Es wirkt, als würde sie zu ihren Händen sprechen.

«Du kannst das Geld spenden, an welche Wohltäter-Idioten du willst. Ist mir egal. Ich ziehe hier aus, sobald es geht. Ich kann das nicht länger ertragen. Ich muss mir das nicht von dir anhören!»

«Natürlich nicht», antwortet sie mit fallender Betonung, sodass es wie ein nächster Vorwurf klingt.

Ich will sie schon fragen, wieso sie mich eigentlich hasst, doch wie immer ich die Frage auch formulieren würde, es klänge, als würde ich sie anbetteln, und das werd ich nicht tun.

Ich schaue hinab auf die zerbrechliche, dürre Gestalt, ihre Fußknöchel ordentlich nebeneinander unter dem Esszimmerstuhl aus dunklem Holz. Sie wirkt so klein, so verletzlich. Und doch weiß ich, sie ist unverrückbar. Nichts, was ich sage, wird je ihre Meinung über meine Arbeit oder mich revidieren.

Wenn ich meinen eigenen Mann stehen will, muss ich aufhören, mir darüber Gedanken zu machen, was sie denkt.

Solange sie mich mit ihrer Ablehnung verletzen kann, bin ich noch immer das Kind, immer noch umzingelt und unterdrückt von ihrer Persönlichkeit. Ich habe viel zu lange gewartet. Ich muss mein Zuhause verlassen, hinter mir lassen, erwachsen werden.

Ich drehe mich um und will eigentlich mein Zimmer ansteuern, doch plötzlich mache ich auf dem Absatz kehrt und gehe zur Haustür. Auch wenn es schon spät ist und dunkel, ich muss zurück auf meine Maschine. Egal wohin, ich muss einfach nur fahren.

DIE STADT

Es sind normalerweise höchstens ein oder zwei Nachrichten pro Tag, die mir Dad in die Hand drückt, wenn ich aus der Schule komme; doch ich muss jetzt ständig Routen planen, mir Abkürzungen, Überdachungen und Gassen merken und so meine eigene maßgeschneiderte Straßenkarte von London entwickeln. Dad sagt, meine Bewegungsmuster sind Daten, die der Feind will, und je überlegter ich meine Wege angehe, desto weniger Infos bekommt er.

Dad hatte nicht damit gerechnet, dass ich alles so schnell lernen würde, doch die ganzen Video-Games, die ich gespielt habe, waren ein gutes Training und haben mich perfekt auf die Aufgabe vorbereitet. Wege durch feindliches Gebiet suchen, mich vor dem Feind verbergen, listig sein – seit ich alt genug war, mit einem Joystick umzugehen, hab ich das alles gemacht.

Im Moment spiele ich allerdings kaum mehr. Meine Tage sind dafür zu angefüllt, und außerdem fühlt sich Gamen zum ersten Mal in meinem Leben unwirklich und ein wenig sinnlos an. Es ist, als ob ich den Kick, in eine andere Haut zu springen und mich in einer erfundenen Welt zu verlieren, nicht mehr brauche.

In den Spielen ist der Feind immer sichtbar, er springt hinter einer Mauer hervor, um dich zu erschießen oder selbst getroffen zu werden. Unser Kampf hier ist anders. Wenn eine feindliche Armee den Himmel und die Grenzen beherrscht, sagt Dad oft, wenn du nicht weggehen oder zurückkehren kannst, nicht ohne Erlaubnis von Außenstehenden exportieren oder importieren kannst, dann ist das Besatzung.

Jeder weiß, dass alle Versuche, Widerstand zu leisten, nutzlos sind, aber eine Wespe hört erst auf, gegen eine Wand aus Glas anzufliegen, wenn sie bereit ist zu sterben. Meine Stadt ist zu einem riesigen Glas voller Wespen geworden.

Außerdem beherrscht das Corps London, und es wird mir immer bewusster, dass man nur, wenn man mitmacht, Verbindungen zu dem einzigen Netzwerk bekommt, das stark genug ist, sich über die verzweifelte, missmutige Masse hinauszuheben, die einfach nur versucht zu überleben.

Ich bekomme kein Geld für das Überbringen der Nachrichten, jedenfalls nicht offiziell, doch Dad gibt mir jetzt Taschengeld, was ich sonst nie gekriegt habe. Es ist natürlich nur wenig, aber überhaupt etwas zu bekommen, hebt mich von meinen Freunden ab.

Auch wenn ich mit keinem Wort erwähne, dass ich für das Corps arbeite, merke ich, dass es die Leute irgendwie mitbekommen. In dieser Stadt beobachtet jeder jeden, hofft jeder, einen Hinweis zu kriegen, wo es etwas zu essen gibt oder wie man an ein Fitzelchen Macht kommt.

Unser Leben wird von den Linsen aufgesaugt, die permanent über uns kreisen, aber auch auf dem Boden höhlen sich Geheimnisse sehr schnell aus. Informanten gibt es an jeder Ecke, deshalb beobachten wir uns alle gegenseitig voller Misstrauen und wissen nie so richtig, wem wir vertrauen können. Die Einzigen, die hier nicht paranoid sind, sind die, die den Verstand verloren haben.

Ich habe schnell gemerkt, wie Freunde und Fremde anfingen, sich meinem Dad zu fügen, als er seine neue Funktion bei dem Corps übernahm, doch erst nach Wochen kriege ich mit, dass sich auch etwas verändert hat in der Art, wie die Leute mit mir reden. Irgendwann stelle ich bei anderen Jugendlichen, Nachbarn, Ladenbesitzern und den Eltern meiner Freunde eine neuartige Höflichkeit, einen Respekt im Tonfall und in ihren Worten fest. Selbst meine Lehrer scheinen leicht verändert, zögern, mich zu kritisieren oder zurechtzuweisen. Wenn ich keine Zeit gehabt habe und nur eine schnell runtergeschriebene oder unfertige Hausarbeit abliefere, bekomme ich trotzdem nie eine schlechtere Note als B minus, egal wie oberflächlich mein Geschreibsel ist.

Als ich Jake Monate später als zugesagt das Geld vorbeibringe, das ich ihm noch für das Videospiel schulde, sagt er: «Vergiss es», und will es nicht annehmen.

Ich brauche eine Weile, bevor ich begreife, dass mein veränderter Status etwas ist, worauf sich zurückgreifen lässt.

Erst einer der anderen Nachrichtenkuriere bringt mich auf die Idee. Nachdem wir uns mehrmals beim Abliefern zur Kenntnis genommen haben, ist uns klar, dass wir beide dasselbe tun, doch zunächst halten wir uns streng ans

Protokoll und ignorieren einander. Dann, eines Abends, als wir in einem zugigen Treppenhaus eines Wohnblocks in der Nähe vom Mornington Crescent stehen und auf Antwort warten, bietet er mir eine Zigarette an. Er streckt mir die Schachtel in einer seltsamen Haltung entgegen, damit ich auf jeden Fall sehe, dass das keine billige Marke von hier ist, sondern Schmuggelware aus einem anderen Land, Zigaretten, die mehr als Zahlungsmittel benutzt werden als tatsächlich zum Rauchen. So eine anzuzünden ist wie Geld verbrennen.

Selbst wenn ich wollte, könnte ich es mir wahrscheinlich gar nicht leisten, zu rauchen, daher lehne ich ab, kann der Frage aber doch nicht widerstehen, wo er die Zigaretten herhat.

Er wirft mir ein wissendes Lächeln zu, zieht ein Feuerzeug mit eingravierten Verzierungen aus der Tasche, schnippt den Deckel auf und zündet die Zigarette an.

«Ist einfach», sagt er, «wenn du die richtigen Leute kennst.»

Er lehnt sich an die Wand und bläst Rauchkringel in Richtung Decke.

«Und wenn nicht?», frage ich.

«Wieso?», antwortet er. «Du kennst *mich*.»

In dem Moment geht die Wohnungstür auf, eine Nachricht wird ihm gereicht, und er eilt wortlos und ohne noch mal zurückzuschauen, davon. Erst am Treppenabsatz dreht er sich kurz um und zwinkert mir zu.

Ich sehe ihn nach dieser Begegnung ein paarmal wieder, einmal vor meiner Wohnung, als er mit einer Nachricht für

Dad kommt, und einmal als er aus einem überfüllten Aufzug tritt, in den ich gerade einsteigen will, doch wir grüßen uns nur mit einem kurzen Nicken und vermeiden, miteinander zu reden.

Als wir uns schließlich mal wieder unter vier Augen treffen, frage ich ihn sofort wegen der Zigaretten.

«Du überlegst also, dir einen kleinen Nebenverdienst an Land zu ziehen?», sagt er grinsend.

Ich zucke mit den Schultern, weil ich nicht so recht weiß, wovon er redet, aber auch nicht naiv wirken will.

Er lässt mich noch ein bisschen zappeln, dann erklärt er mir, wo ich hinmuss (zu einem Zeitungshändler an der Caledonian Road), was ich sagen muss, um das Gewünschte zu kriegen, und wie ich bezahle. Die kleinen Details in seinen Auskünften wecken in mir den Verdacht, dass er wohl Provision von seinem Lieferanten bekommt. Er wiederholt ein paarmal, dass ich sagen soll, ich sei ein «zuverlässiger Kollege von Phoenix». Ich vermeide natürlich, nach seinem richtigen Namen zu fragen.

Als er meine Unsicherheit spürt, sagt er: «Alle tun das», was natürlich nicht «alle Jugendlichen» bedeutet, sondern «alle Boten». «Wir stehen unter Schutz», erklärt er. «Wenn du im Corps bist, bist du kugelsicher. Das ist unser Lohn.»

«Ja?», sage ich.

Er fängt an zu lachen und boxt mir gegen den Arm. «Wirst schon sehen», meint er. «Oder du läufst dein Leben lang weiter in deinen beschissenen Turnschuhen rum und kannst schauen, wo du bleibst.»

Während ich seine makellose Kleidung, seine aufwendig

gegelten Haare und seine tadellosen Schuhe betrachte, geht die Tür auf, und wir drehen uns blitzschnell voneinander weg und tun so, als hätten wir kein Wort miteinander geredet. Eine Nachricht wird herausgereicht. Er nimmt sie, eilt davon und wirft mir im Gehen noch ein verschwörerisches Grinsen zu.

An meinem ersten freien Nachmittag gehe ich zu dem Zeitungshändler in der Caledonian Road und sage zu einem Mann mit grauem Seitenscheitel und zwei fehlenden Fingern an der linken Hand, dass mir mein «zuverlässiger Kollege» Phoenix diesen Laden als Ort genannt habe, wo man ausländische Zigaretten kaufen könne.

Er mustert mich von oben bis unten und verschwindet dann ohne ein Wort durch einen Perlenvorhang, der klackernd wieder in seine Ausgangslage zurückfällt.

Wirklich wertvolle Ware wird gewöhnlich durch die Brixton Tunnel hereingeschmuggelt. Das absolute Minimum, um uns am Leben zu halten, kommt überirdisch durch die Checkpoints nach London. Das Corps gräbt und kontrolliert die Tunnel, und je mehr ich darüber erfahre, wie sich die Tentakel der Organisation durch die Stadt ziehen, desto klarer wird: Die einzige Möglichkeit, dir ein angenehmes Leben im Streifen zurechtzuzimmern, ist, Zugang zu diesem Schwarzmarkt zu bekommen.

Es scheint, als ob sich der vollgestellte, nur schwach beleuchtete und nach Zucker, Druckerschwärze und kaltem Schweiß riechende Zeitungsladen immer enger um mich schließt, während ich in angespanntem Schweigen dastehe, die Gläser mit uralt wirkenden Süßigkeiten betrachte, die nebeneinander an der Wand aufgereiht sind, und warte, dass der Ladenbesitzer wieder zurückkommt.

Eine leise Unterhaltung dringt durch den Perlenvorhang.

Langsam frage ich mich, ob das Ganze hier eine Falle ist, aber da taucht er mit einem rot-weißen Päckchen auf, das er mir ohne ein Wort verkauft. Es kostet mehr oder weniger alles, was ich in letzter Zeit als Taschengeld für die Botengänge von meinem Dad bekommen habe.

Ich habe so eine Schachtel noch nie in der Hand gehabt. Zu meiner Überraschung wiegt sie fast nichts. Während ich das Päckchen in meine Hosentasche schiebe, wird mir auf einmal bewusst, dass ich nie zuvor für so wenig so viel bezahlt habe. Wenn ich diese Zigaretten nicht weiterverkaufen kann, war das Ganze ein wirklich schmerzlicher Fehler.

Als ich in südliche Richtung durch die zerstörten Straßen laufe, fühle ich mich voller Erwartung, fast als ob ich schwebe, bis sich auf der Südseite des Kanals die Atmosphäre schlagartig ändert. Ein Strom von Menschen kommt mir entgegen und drängt mich vom Bordstein. Ich höre Wortfetzen über eine Hilfslieferung, ein Verteilungszentrum, Diskussionen über Decken und Brot. Einige Leute rennen sogar, wobei manche so alt sind, dass ihr Rennen kaum schneller ist als mein Gehen. Ich bin kurz versucht, der Menge zu folgen, widerstehe jedoch dem Drang. In großen Gruppen passiert nie Gutes.

Als ich den zerbröselten Rumpf der King's Cross Station erreiche, hat sich der Trubel gelegt. Ein riesiger vom Feuer versengter Bogen ragt noch in die Höhe wie ein Tor ins

Nichts. Jeder Zentimeter des Platzes ist besetzt von den dicht an dicht hockenden, in Decken gehüllten Obdachlosen, die immer dort sind und scheinbar schlafen.

Eine stark geschminkte Frau mit wirren grauen Haaren, die ein zerschlissenes, mit Juwelen besetztes Kleid trägt, steht auf einem Marmorsockel und trällert ein opernhaftes Lamento. Während ich an ihr vorbeigehe, rennt ein hektischer Haufen Jungs quer über die Easton Road. Einige Rufe steigen aus den ganzen Hintergrundgeräuschen auf, es folgt ein Lärm, der klingt wie ein Aufschrei, dann sind die Jungen verschwunden.

Ich drehe mich nicht um, schaue nicht nach, was passiert ist, sondern dränge weiter, meinem Ziel entgegen: eine der zentralen Ecken vor dem, was mal die St. Pancras Station war, wo der Verkehr aus vier Richtungen alles zum Stillstand bringt und sich Gruppen von Jungs zwischen den Autos entlangschlängeln und Zigaretten, Zeitungen, Blumen, Kaugummi, Süßigkeiten, Gemüse, Spielzeug, Luftballons, Schuhe und alles Mögliche sonst anbieten.

Ich ziehe das Päckchen Zigaretten aus meiner Jeans und wiege es in der Hand, während ich zu dem Straßenmarkt hinüberschaue, der zwar chaotisch wirkt, es aber keineswegs ist. Alle Verkäufer geben den Männern, denen der Platz gehört, etwas. Wenn du es nicht tust, machen sie dich blitzschnell fertig.

«Phoenix» hat mir gesagt, dass ich nichts zahlen müsse. Wenn ich dazu aufgefordert werde, soll ich einfach erklären, wer ich bin. So wie er es sagt, klingt alles ganz einfach.

Ich stehe neben dem ins Stocken geratenen Verkehr, immer wieder von einem rastlosen Fußgängerstrom angerempelt und weggestoßen, und schiebe die Zigarettenschachtel nervös von einer Hand in die andere, während ich die Kreuzung beobachte.

Auf allen Zufahrten sind Jugendliche postiert und klappern die PKWs, Lieferwagen und Laster ab, klopfen mit der Hand gegen die Scheiben und verkaufen ihre Waren auf eine Weise, die sich nicht wirklich von Betteln unterscheidet, so wie sie von einem Auto zum nächsten eilen.

Vier Straßen macht acht Verkehrsspuren. Wie es scheint, bedienen jeweils drei oder vier Jungs eine Spur, mit klar zugewiesenen Bereichen. Jeder Verkäufer grast nach den Grünphasen der Ampel wieder denselben Bereich ab. Es gibt keinen Streit und nur wenige Wortwechsel zwischen ihnen, bloß die müde, aber effiziente Leistung einer gut organisierten, flinken Truppe.

Auffallend finde ich allerdings nicht die Show, die sie machen, um ihre Waren zu verkaufen, sondern die Art, wie sie erschlaffen, wenn die Ampel auf Grün schaltet, und einfach bloß zwischen den Autos stehen, mit totem Blick, ohne jede Bewegung und ohne den Impuls, an den Bordstein zu laufen.

Ich lenke meinen Blick auf die Spuren, die zurück Richtung King's Cross führen, wo meinem Gefühl nach die Kleinsten mit dem am wenigsten einschüchternden Aussehen stehen. Ein Junge mit zerrissener Jeans und einem sackartigen grauen T-Shirt tänzelt flink zwischen den Autos umher und verkauft Kämme und Haarspangen. Er hat so eine freundliche, schulterzuckende Routine, die er wieder und wieder einsetzt, um die Leute dazu zu bewegen, das Fenster zu öffnen. Er verkauft seine nutzlosen Kämme mit seinem jugendlichen Charme. Es gibt noch einen größeren Typen in blassblauem Anorak, den Reißverschluss bis zum Hals nach oben gezogen. Er putzt Windschutzscheiben. Dabei lässt er den Leuten keine Chance, nein zu sagen, und überlässt es dann ihrem Gewissen, ob sie zahlen oder nicht. Manche Leute werden wütend, fuchteln mit der Hand, brüllen ihn an oder benutzen die Scheibenwischer, um ihn zu vertreiben. Andere zahlen resigniert, wohl wissend, dass sie hereingelegt wurden. Einige lassen ihn die Scheibe zu Ende putzen, starren dann stur geradeaus und weigern sich, seine Arbeit anzuerkennen und ihm Geld zu bezahlen.

Er reagiert nie. Wartet nur und geht, wenn derjenige nach einer Minute immer noch nicht gezahlt hat, schweigend weiter. Dieses Nicht-zur-Kenntnis-Nehmen, als würde er gar nicht existieren, obwohl er vor ihren Augen geputzt hat, muss das Schlimmste sein. Wenn den Jungen irgendwas ärgert, dann wahrscheinlich dies, auch wenn er nicht die geringste Gefühlsregung zeigt.

Es gibt noch einen anderen Jungen, der in seinem riesigen roten Kapuzenpullover wirkt wie ein Zwerg. In seiner Faust hält er Dauerlutscher, leuchtend gelb und orange wie Löwenzahn. Sie ragen in alle Richtungen aus seiner Hand. Er ist schneller als die anderen, tänzelt geschickt um die Autos herum, ist weniger beharrlich, aber schafft einfach mehr Kunden.

Ich hatte mal ein Fallschirmspringer-Spiel, in dem man gleich zu Beginn auf die Klappe eines Transportflugzeugs zulief und sich dann fallen ließ. Genauso fühle ich mich, als ich das Zellophan von der Zigarettenschachtel reiße, die Klappe hochschiebe und mich ins Getümmel werfe.

Ich war immer ein Niemand, ein Niemand in einer Stadt voller Niemande, und aus meinem gestiegenen Status muss ich jetzt Kapital schlagen. Mein Leben ist keines, in dem man Chancen verschenken kann. Wenn ich wirklich unter einem Schutz von oben stehe, dann will ich es wissen und einen Nutzen daraus ziehen.

Kurz nachdem ich auf die von qualmenden Abgasen erfüllte Kreuzung getreten bin, ist der Junge, der die Windschutzscheiben putzt, nur noch einen Meter von mir entfernt. Von so nah sehe ich, wie schmutzig, nass und ausgekühlt er ist. Er ist einen halben Kopf kleiner als ich und mindestens ein Jahr jünger, die Augen sind blutunterlaufen und die Haut blass und fast durchsichtig, doch ich sehe mit einem Blick, dass er ein Kämpfer ist und keine Angst hat.

«Was willst du?»

Mein Gefühl sagt mir, dass ich umkehren soll, doch ich weiß, das hier ist der Moment der Wahrheit. Ich habe ein Experiment gestartet und muss es jetzt durchstehen. Aus dem Schwamm in seiner Hand tropft Wasser und bildet eine Pfütze direkt neben seinen abgewetzten, kaputten Turnschuhen, während er auf eine Antwort wartet. Ich kann spüren, wie sich die unterdrückte Aggression in ihm zusammenzieht.

«Was glaubst du wohl, was ich will?», antworte ich und unterdrücke den Drang, einen Schritt zurückzuweichen.

«Das hier ist nicht deine Ecke.»

«Sagt wer?», blaffe ich zurück.

«Bist du bescheuert, oder was?»

«Du bist bescheuert», antworte ich, was nicht gerade besonders witzig ist, ihn aber doch überrascht. Einen Moment lang fehlen ihm die Worte.

Der Dauerlutscher-Verkäufer kommt, und erst ganz aus der Nähe erkenne ich, dass es ein Mädchen ist. Teenager-Alter, mit blasser, fast durchsichtiger Haut und pechschwarzen Haaren, der Pony hängt ihr teilweise über die grünen Augen.

«Was ist los?», fragt sie.

«Der Typ ...», sagt der Junge mit dem Schwamm. «Er glaubt, er ...»

Sie dreht sich zu mir um, macht mit der Kraft ihres Blicks aus diesen klaren grünen Augen all meine Entschlossenheit zunichte und sagt: «Was ist dein Problem?» Ihre Stimme ist herrisch, leicht heiser und überraschend tief für so ein schlankes Mädchen.

«Es gibt kein Problem», sage ich. «Ich verkaufe jetzt hier. Nur heute. Und wenn einer von euch mich anrührt, wird es euch leidtun.» Ich sage das locker, eher wie eine Tatsache als wie eine Drohung.

«Und wieso?», faucht der Junge unbeeindruckt und ballt seine Rechte zur Faust.

«Wer immer an dieser Ecke das Sagen hat», antworte ich, «was glaubt ihr wohl, wer ihm sagt, was Sache ist?»

Ich schiebe mein Kinn vor – so eine Harter-Typ-Pose, die ich aus irgendeinem Film abgeguckt haben muss. Ich bin noch nie in meinem Leben in eine Schlägerei geraten, bin immer lieber rechtzeitig getürmt, das heißt, das hier ist alles bloß Show, ein Spiel, aber ein todernstes mit blutigen Konsequenzen, wenn's schiefgeht.

Der Windschutzscheiben-Junge und das Mädchen mit dem Kapuzenpullover verziehen sich auf den Mittelstreifen, stecken die Köpfe zusammen und behalten mich im Auge, während sie tuscheln. Bei jedem Lieferwagen, der vorbeifährt, verschwinden sie aus meinem Blickfeld und tauchen wieder auf. Der Junge zieht ein Handy aus der Tasche und schreibt eine Nachricht.

Ich könnte anfangen zu verkaufen, während ich auf ihre Entscheidung warte, was sie tun sollen, aber das wäre vielleicht doch zu provokant. Mein Ziel ist herauszufinden, wie viel von der Macht des Corps bis zu mir durchgesickert ist, ohne dabei zusammengeschlagen zu werden. Also warte ich, ein Fels in dem tosenden Verkehrsstrom, und merke, wie die Auspuffgase langsam in meiner Kehle und in meinen Augen zu brennen beginnen.

Aus der Menge von schlendernden Müllsammlern, ziellosen Spaziergängern und gehetzten Berufspendlern kommt ein Mann mit schnellen Schritten auf mich zu. Ich wittere sofort, wer das ist. Er ist höchstens fünf Jahre älter als ich, scheint jedoch einer anderen Spezies anzugehören, mit trainierten Muskeln, die sich unter dem Stoff seines T-Shirts spannen, und einem verkniffenen Gesicht, in dem sich eine gerissene Schläue spiegelt. Er tritt vom Bordstein und läuft mit scheinbar blindem Instinkt durch den Autostrom so schnell in meine Richtung, dass er fast rennt. Sein Blick fixiert mich im Näherkommen. Der Fahrer eines Lieferwagens tritt, nur wenige Zentimeter, bevor er die Schienbeine des Mannes erwischt, in die Eisen und hupt wie verrückt, doch der Mann kommt nicht aus dem Tritt oder schenkt dem wütenden Fahrer gar einen Blick. Er richtet seine Aufmerksamkeit nur auf mich und eilt mir mit einem derart drohenden Ausdruck entgegen, dass ich Angst bekomme.

Eine innere Stimme schreit mich an, ich soll rennen, mich in Sicherheit bringen, aber irgendwie gelingt es mir, all meinen Mut zusammenzunehmen und stehen zu bleiben.

Er wird nicht langsamer, bis er direkt vor mir ist, Fußspitze an Fußspitze, so nah, dass ich die Wärme seines fleischigen Atems spüren kann. Seine Augen haben ein so fahles Blau, dass die Pupillen fast weiß wirken. Er hat eine Art Stupsnase und eingefallene Wangen mit Narben von früherer Akne.

«Was tust du?», fragt er mit bedrohlich leiser Stimme.

«Zigaretten verkaufen», antworte ich und gebe mir Mühe, seinem wolfhaften Blick standzuhalten.

«Verschwinde», sagt er. «Sofort.»

Ich spüre, dass mir nur wenige Sekunden bleiben, bevor er mich zusammenschlägt. «Du weißt wohl nicht, wer ich bin, was?», sage ich.

Ein Muskel unter seinem linken Auge zuckt. Sein ganzer Körper pulsiert unter der Spannung wie bei einem Pitbull, der energisch an der Leine zieht.

«Ich hab dir gesagt, verschwinde. Normalerweise muss ich das nicht zweimal sagen.»

Ich nenne ihm meinen Namen und füge demonstrativ den meines Vaters hinzu. «Weißt du, wer das ist?», ergänze ich.

Sein starrer Blick bricht ab, er schaut hoch, schnieft und fährt sich mit dem Daumen unter der Nase entlang. Die Spannung, die seit seinem Auftritt zwischen uns geknistert hat, löst sich allmählich auf. Er macht einen halben Schritt zurück. Seine Schultern sacken nach unten, er verschränkt die Finger und lässt erst die Knöchel der einen Hand, dann die der andern knacken.

Trotz des Verkehrslärms breitet sich um uns herum eine Stille aus.

«Hast du vor, eine Gewohnheit aus der Sache zu machen?», fragt er schließlich.

Ich zucke mit den Schultern und versuche, mir nichts anmerken zu lassen, während ich am liebsten vor Erleichterung auf den Boden sinken oder einen Freudentanz zwischen den Autos aufführen würde.

Er spuckt auf den Asphalt und verschwindet zu den beiden Straßenverkäufern. Ich will nicht so dastehen, als würde ich auf seine Erlaubnis warten, deshalb wende ich mich ab und beginne damit, Zigaretten zu verticken, auch wenn meine Beine sich anfühlen wie Watte.

Ein bärtiger Mann in einem verbeulten gelben Ford kauft sofort zwei Zigaretten, doch meine Finger haben Mühe, sie aus der Schachtel zu ziehen. In den nächsten paar Minuten, während das Adrenalin allmählich aus der Blutbahn sickert und die Koordination wieder zurückkehrt, verkaufe ich fast die halbe Schachtel.

Ich verdopple den Preis und werde trotzdem innerhalb

einer halben Stunde alle los, mit größerem Gewinn, als ich mir je erträumt hätte.

Ich steuere den Bordstein an und scanne alle vier Straßen, die in die Kreuzung münden. Scheint so, als ob der Boss verschwunden ist. Ich will mich gerade auf den Heimweg machen, doch als ich einen letzten Blick auf das Mädchen mit dem Kapuzenpulli werfe, sehe ich, wie sie mich anstarrt.

Ganz auf der Welle meines neuen Selbstbewusstseins, schlängele ich mich durch den Autostrom auf sie zu und versuche, möglichst lässig zu wirken. Sie dreht sich weg, offenbar verlegen, dass ich sie erwischt habe, wie sie mich ansah, doch sie muss wohl spüren, dass ich herankomme, denn plötzlich, als ich sie gerade erreiche, dreht sie sich zu mir um.

Ihre Augenbrauen sind in einer Mischung aus Neugier und Irritation eng zusammengezogen. Ich spüre, dass sie wissen will, wer ich bin und wieso ich nicht aus ihrer Ecke vertrieben wurde. Bisher war das noch nie eine Frage, weil die Antwort klar war, wer ich bin: ein Niemand.

«Wie viel?», frage ich und nicke in Richtung ihrer Lutscher-Faust.

Sie nennt den Preis und hält den Blickkontakt mit einer Intensität, dass es in meiner Brust anfängt zu flattern.

«Das ist Wucher», sage ich.

Sie zuckt mit den Schultern, und plötzlich spielt der Ansatz eines Grinsens um ihre Mundwinkel.

«Ich nehm zwei», sage ich und reiche ihr eine Münze aus meiner klimpernden Tasche. Die Unsicherheit, die mich sonst in einer solchen Situation überkommt, hat sich irgendwie aus dem Staub gemacht. Ich fühle mich wie auf einer Bühne, als ob ich eine ältere, coolere Version von mir selbst spielen würde.

Sie gibt mir zwei Dauerlutscher. Ich wickle sie beide aus der Hülle und gebe ihr einen zurück. «Das ist zum Dank, dass du deine Ecke mit mir geteilt hast», sage ich.

Sie lächelt widerstrebend.

«Machst du nie mal Pause?», frage ich.

Sie schaut sich um, scannt die Kreuzung nach ihrem Boss, dann folgt sie mir zum Bordstein, wo wir uns hinsetzen, mit den Füßen im Rinnstein, und unsere Lutscher schlecken.

Eine kaputte Radkappe liegt zwischen uns auf dem Asphalt. Sie schubst das Teil mit ihrer Fußspitze an, bis es sich dreht, während ich versuche, lässig auszusehen und nicht zu zeigen, wie sehr meine Hirnzellen nach etwas suchen, was ich sagen könnte.

«Du stehst also unter Schutz?», fragt sie schließlich.

Ich nicke.

«Von wem?»

«Was glaubst du?»

Sie schiebt ihren Lutscher im Mund von einer Seite zur andern.

«Und das heißt, du kannst tun, was du willst?», fragt sie weiter.

«Das würde ich nicht sagen.»

«Glückspilz», sagt sie mit einem leicht sarkastischen Unterton, zieht den Lutscher aus dem Mund und betrachtet sein leuchtendes, glänzendes Äußeres.

Mir kommt in den Sinn, dass ich vielleicht arrogant wirken könnte. Dieses kryptische Macho-Ding entspricht mir eigentlich überhaupt nicht, und ich sehe, dass es sie auch nicht sonderlich beeindruckt.

«Wie heißt du?», frage ich.

«Zoe.»

«Bist du jeden Tag hier?»

«Fast.»

«Und was ist mit Schule?»

Sie zuckt mit den Schultern. «Hab keine Wahl.»

Ihre grünen Augen mustern mich, und wir schätzen uns kurz ab in einem Schweigen, das schon fast etwas Unheimliches hat. Ihr Blick ist undurchschaubar, aber nicht feindselig.

«Und, wie ist es so, ein Glückspilz zu sein?», fragt sie mit einer Stimme, die zwischen Ironie und Ernst schwankt.

Ich schaue in Richtung der zerbombten U-Bahn-Station, kenne nur zu gut die verstopften Straßen dahinter mit ihren Schlaglöchern, die Horden zerlumpter Fußgänger, die Trupps unterernährter Straßenverkäufer, die sich durch eine Woge zusammengeflickter, rostiger Autos schlängeln. «Glaubst *du*, irgendwer ist hier glücklich?», frage ich.

«Ja», antwortet sie und gibt der Radkappe einen erneuten Schubs. «Ich war glücklich. Und dann nicht mehr.»

Es ist selten, dass jemand seinen Panzer öffnet, den man in dieser kalten, harten Stadt tragen muss; und geradezu erstaunlich bei einem Menschen, den man erst seit ein paar Minuten kennt. Diese winzige, rätselhafte Öffnung ist wie ein Bekenntnis, ein Beweis unerwarteten Vertrauens.

87

«Was ist passiert?», frage ich.

Sie sieht mich an. Für einen kurzen Moment scheint es, als ob sie aufhört zu atmen. Ihre Augen werden feucht. Dann löst sich ein fernes Geräusch in ein wiederholtes Wort auf, das über die Straße gebrüllt wird. «ZOE! ZOE!»

Es ist ihr Boss. Zoe flucht leise vor sich hin, lässt ihren noch halb vorhandenen Lutscher in den Rinnstein fallen, springt auf die Beine und jagt durch den Verkehr auf ihn zu. Mit einer wütenden Handbewegung schickt er sie zurück an die Arbeit.

Während ich noch dastehe, spüre ich den Blick seiner Raubtieraugen. Er mustert mich, schätzt meine Schwächen ab und zerrt von neuem an der Leine, die ihn im Moment davon abhält, mir weh zu tun.

Ich wende mich ab und mache mich auf den langen Weg nach Hause, ohne irgendetwas um mich herum wahrzunehmen. Ich spüre kaum den Boden unter meinen Füßen.

Jetzt weiß ich also sicher, dass Dads Position im Corps ein Schutzschild bedeutet, das sich über die ganze Familie erstreckt.

Aber selbst diese erstaunliche Entdeckung erscheint mir unbedeutend gegenüber dem, was meiner Meinung nach zwischen mir und Zoe passiert ist. Auch wenn wir kaum gesprochen haben, habe ich das Gefühl, als ob ein Schlüssel in ein Schloss passen würde, als ob ein verlockendes Geheimnis kurz davor sei, sich zu offenbaren.

DIE BASIS

Ich habe seit unserem Streit nicht mehr mit meiner Mutter gesprochen. Sie hat nie gesagt, wie viel Miete ich ihr zahlen soll, also habe ich mir selbst eine Summe überlegt, die bewusst zu hoch ist, in der Hoffnung, ihr ein schlechtes Gewissen zu machen. Ich lege das Geld jeden Sonntagabend auf den Küchentisch, aufgefächert wie die Karten in der Hand eines Pokerspielers.

Ich wohne jetzt nur noch halb dort. Ich frühstücke zu Hause, richte es aber so ein, dass sie nicht in der Küche ist, zu Mittag esse ich in der Basis, und abends gehe ich mit anderen Piloten zum Essen in ein Café. An meinen freien Tagen fahre ich mit dem Motorrad raus und komm erst spät wieder zurück. Ihre Lebensmittel im Kühlschrank rühre ich nicht mehr an. Inzwischen kaufe ich mir mein Brot und meine Milch selbst.

Die Zeit hat eine seltsame Wirkung auf meine Wut, etwa so wie Sonneneinstrahlung auf ein Foto. Die Schärfe löst sich auf, die Farben verblassen.

Nicht, dass ich meiner Mum überhaupt nie begegne,

dafür ist das Haus zu klein, aber wir reden nicht miteinander, und indem ich sie nicht wahrnehme, gelingt es mir fast, sie aus meinem Bewusstsein verschwinden zu lassen, auch wenn es Mum wahrscheinlich eher so sieht, dass ich derjenige bin, der verschwunden ist.

Zu der Zeit, wenn ich nach Hause komme, sitzt sie gewöhnlich im Wohnzimmer. Manchmal bleibe ich eine Weile stehen und schaue vom Flur aus auf das Flackern des Fernsehers. Ich könnte auch einfach reingehen und mich zu ihr aufs Sofa setzen. Ich müsste nicht mal was sagen. Bestimmt würde ihr das gefallen, und sie würde mich auch nicht zwingen, etwas zu reden. Doch das tue ich lieber nicht.

Immer wenn ich gegen Mitternacht wach bin, höre ich ihre Schritte, wie sie schlurfend aufs Klo geht – die Spülung läuft direkt durch die Wand hinter meinem Kopfkissen – und schließlich wieder ins Bett.

Manchmal frage ich mich, was sie von *mir* hört. Mein Duschen? Das Aufheulen meines Motorrads? Ein Klappern, wenn ich die Spülmaschine ausräume?

Es ist eine eigenartige Form von Intimität: sich ein Zuhause zu teilen ohne Berührungspunkte, auseinandergehalten durch diese Feindseligkeit, die uns zu einem Geist im Leben des andern macht.

Unser Haus wirkt wie durchdrungen von dem sauren, muffigen Geruch der Einsamkeit. Manchmal habe ich Angst, die Jungs in der Basis könnten einen Hauch davon an meiner Kleidung riechen oder es in meinen Augen entdecken. Irgendwie ist es beschämend, so zu leben, aber ich weiß nicht, wie ich den Kurs ändern soll.

Wenn ich nach der Arbeit mit dem Motorrad nach Hause fahre, schaltet mein Hirn komplett aus. Ich gehe ganz im Moment auf, lasse meine Gedanken laufen, befreie mein inneres Auge, sondiere und siebe aus.

Es ist merkwürdig, wie oft Mum in meinen Gedanken auftaucht. Ich habe mein ganzes Leben versucht, von ihr geliebt zu werden, und muss mir eingestehen, dass ich gescheitert bin. Sie ist eine freundliche und großzügige Frau, die mir nur sehr wenig abgeschlagen und jeden Trost gespendet hat, den ein Sohn sich wünschen kann, außer den einen, das Kernstück von allem. Sie war immer da, immer an meiner Seite, hilfreich und emsig, doch die Tür zu ihrem Herzen blieb für mich stets verschlossen.

Wenn ich dann abends vom Flur aus auf das Fernsehprogramm schaue, das sie sieht, denk ich oft, dass diese Konstellation alles darüber aussagt, wer wir sind. Selbst wenn wir in die gleiche Richtung schauen, sehen wir einander nicht und wir haben uns so an die Mauer zwischen uns gewöhnt, dass ich nicht mehr weiß, ob meine Unsichtbarkeit ein Trost für sie ist oder schmerzhaft.

Und dann habe ich noch eine andere Geisterfamilie, mit der ich die meisten Stunden meiner Zeit teile. Sie kann mich zwar nicht sehen und kennt mich nicht, weiß aber, dass ich da bin und sie im Blick habe.

Vielleicht sind wir ja alle, jeder von uns, irgendwie zugleich mehr allein und weniger allein, als wir es gerne hätten.

Ein halbes Jahr lang habe ich jeden Schritt von #K622 verfolgt. Ich kenne seine täglichen Gewohnheiten, wo er isst, mit wem er spricht, wann er aufsteht, wann er sich schlafen legt, wo er einkauft, wie oft er mit seinen Kindern spielt, alles. Wahrscheinlich weiß ich mehr über ihn als seine eigene Frau.

Sein Sicherheitsprofil hat sich kürzlich geändert. Jemand muss ihn denunziert haben, denn er steht jetzt ganz oben auf der Liste, und das kommt nicht durch irgendwas, was *ich* beobachtet habe. Was ich sehe, könnte kaum langweiliger sein. Er steht auf. Er geht zur Arbeit. Er kommt nach Hause. Er besucht Freunde. Er sitzt in Cafés und unterhält sich. Er geht schlafen.

Das Verdächtigste ist, dass er nie etwas Verdächtiges tut. Er verhält sich wie ein Mann, der weiß, dass er überwacht wird. Niemand wäre so vorsichtig, es sei denn, er hat etwas zu verbergen.

Er wäre nicht auf diesem Sicherheitsprofil, wenn er nicht ein Top-Mann im Corps wäre, vielleicht sogar einer der Organisatoren. Dadurch ist er gebrandmarkt. Er könnte sich genauso gut eine Zielscheibe auf den Kopf malen.

Ich weiß allerdings nicht, ob die Leute, die er abends trifft, auch gebrandmarkt sind, das heißt, außer bei #K622 habe ich keine Ahnung, wer wer ist. Könnte sein, dass der, der im Flugraum hinter mir sitzt, den ganzen Tag einen der Freunde (oder Komplizen) von #K622 überwacht, aber erfahren werde ich das nie.

Ich habe den Verdacht, dass das Corps verstanden hat, wozu wir fähig sind. Sie haben ihre Treffen in den Untergrund verlegt, weil sie wissen, dass wir alles sehen können. Alle, die #K622 öffentlich trifft, sind wahrscheinlich vollkommen unbescholten. Was nicht bedeutet, dass irgendjemand, der im Streifen lebt, wirklich über jeden Verdacht erhaben sein kann. Alle wollen sie Rache, auch der Letzte von ihnen, weshalb man ihnen keinen Spielraum geben darf und sie keine Gnade verdient haben.

Seine jüngeren Kinder – es müssen Zwillinge sein, denn sie sind gleich groß und immer zusammen – scheinen die Hälfte ihrer Zeit in ihrem winzigen Garten zu verbringen, der mit allem möglichen Spielzeug, Bällen und Rollern vollsteht. #K622 ist nie bei ihnen, nur ihre Mum läuft ständig rein und raus, hängt Wäsche auf, schlichtet Streits und spielt mit den Kindern oder jätet Unkraut. Nie setzt sie sich mal einfach hin und ruht aus.

Die einzige Zeit, zu der #K622 in den Garten geht, ist nachts, wenn die Kinder im Bett sind. Er weiß, dass wir jederzeit sein ganzes Haus auslöschen könnten, doch er muss offenbar glauben, dass er draußen, wo man ihn von oben sehen kann, verwundbarer ist. Oft steht er da draußen, nachdem es dunkel geworden ist, und bevor er selber zu Bett geht, raucht er noch eine Zigarette. Vielleicht glaubt er, so ist es sicherer, aber selbst im Dunkeln kann ich ihn sehen. Wir haben seine Wärmesignatur. Tag oder Nacht, es macht keinen Unterschied.

Nie raucht er gleich an der Küchentür. Er geht immer ans Ende des Gartens, weg vom Haus. Es gibt dort keine Bäume, die ihn schützen, das heißt, er scheint sich im Klaren zu sein, dass jede Zigarette das Risiko birgt, von einer aus dem Nachthimmel auftauchenden Rakete getroffen zu werden, doch er will vermeiden, dass sich seine Familie im Explosionsbereich aufhält.

Einige unserer Bomben können einen ganzen Häuserblock zerstören, das heißt, so richtig in Sicherheit sind sie durch sein Verhalten nicht, sie haben nur eine minimale Chance, der Zerstörung zu entgehen, aber vielleicht bleibt einem im Streifen ja nichts anderes übrig.

Oft sitzt er einfach nur in der Tür, die von der Küche in den Garten führt, und redet mit den Kindern, während sie im Garten spielen. Er denkt wahrscheinlich, dass er dort nicht zu sehen ist, aber wenn ich meine Position etwas absenke und den richtigen Winkel finde, ist er genauso im Blickfeld wie an jedem anderen Ort.

Würde er sich wirklich Sorgen um ihre Sicherheit machen, träte er aus dem Corps aus. Daran muss ich mich immer wieder erinnern, wenn ich Mitleid mit ihm oder seinen Kindern bekomme. Er mag ganz normal wirken, aber das ist er nicht. Er ist ein Terrorist. Er arbeitet für eine Organisation, die aus dem Streifen Raketen auf unschuldige Menschen abschießt, und es wird die Welt sicherer machen, ihn auszuschalten, wenn es so weit ist.

Es ist höchstens der Sohn, der mir leid tut. Ich muss daran denken, dass wir im gleichen Alter sind, fünfzehn, sechzehn, und wie man sich in dem Alter die Hälfte der Zeit langweilt, weil es nichts gibt, was man tun kann, auch wenn ich rückblickend sagen muss, dass ich jeden Luxus genossen habe, den sich ein Junge nur wünschen kann. Junge Leute im Streifen können nirgendwohin, es gibt nicht mal einen Platz zum Kicken oder einfach zum Rumhängen. Selbst aus dreihundert Meter Höhe kann ich die Langeweile und ihren Frust spüren. Dieser Junge scheint nie ziellos an irgendwelchen Ecken herumzulungern wie andere Jugendliche. Ich habe festgestellt, dass er seine Freizeit mit langen, einsamen Spaziergängen zubringt.

Die Gewohnheiten von #K622 sind nämlich mittlerweile so vorhersehbar und uninteressant geworden, dass ich angefangen habe, aus reiner Neugier dem Jungen zu folgen. Nach einer Weile habe ich seine Aktivitäten einem Analysten gezeigt und die Möglichkeit angesprochen, dass er vielleicht als Kurier für seinen Vater arbeitet. Ich habe verdächtige Bewegungsmuster aufgezeigt und um Erlaubnis gebeten, den Jungen in meine Überwachungsaufgabe einzubeziehen. Binnen einer Stunde hatte ich das Okay.

Jetzt überwache ich den Jungen *und* seinen Vater. Wenn ich die Daten der Ziele des Jungen nach oben weiterleite, merke ich, dass die Analysten zufrieden sind. Sie reagieren schnell und sagen, ich soll weitermachen. Ich nehme an, die Adressen korrelieren mit den Geheimdiensterkenntnissen über Mitglieder des Corps.

Als ich die Nachricht bekomme, umgehend den befehlshabenden Offizier aufzusuchen, ist mein erster Gedanke, dass es etwas mit meinen Beobachtungen über diesen Jungen zu tun hat. Ich weiß, dass sie sich sehr für das interessieren, was ich herausgefunden habe. Deshalb hege ich plötzlich die Hoffnung, sie wollen mich vielleicht mit einer Beförderung belohnen.

Ich übergebe an einen Vertreter und eile zu dem Meeting. Unterwegs zwinge ich mich, langsamer zu gehen, damit ich nicht völlig außer Atem ankomme. Ich darf nicht zu begeistert wirken. Erwartet wird ein Auftreten in nüchternem, aber wachem Gehorsam gegenüber den Oberen, ohne jedes Durchschimmern von Individualität oder Emotion. Aber ich kann meine Begeisterung auch nicht vollkommen unterdrücken.

Fliegerleutnant Wilkinson, der hinter einem riesigen Schreibtisch mit Stahlrahmen sitzt, hält sich nicht mit irgendwelchen Vorreden auf, sondern informiert mich nur, dass #K622 wahrscheinlich auf eine Tötungsliste gehoben wird und ich, weil ich bis jetzt meine operativen Flugstunden alle an Beobachtungsdrohnen abgesessen habe, bald aus dem Flugraum abgezogen werde und an einem Auffrischungslehrgang an einer bewaffneten MQ-9 teilnehmen soll.

«Entweder Sie schaffen es oder nicht», sagt er, ohne mich anzusehen, und schiebt Papiere zusammen, als wenn das Gespräch beendet wäre.

«Ich bin sicher, ich schaffe das, Sir.»

«Wir werden sehen. Wenn nicht, gibt es jede Menge andere», antwortet er in einem Ton, der klarmacht, ich sollte längst aus der Tür sein. Wilkinson gibt einem immer so ein Gefühl, als ob man schon beim Eintreten die Redezeit überzogen hätte.

«Danke, Sir», sage ich und gehe.

Den Rest des Nachmittags verbringe ich damit, den Arbeitsplatz von #K622 zu observieren und darauf zu warten, dass er das Gebäude verlässt. Als er zur üblichen Zeit heraustritt, geht er wie immer den Weg nach Hause, doch trotz der Alltäglichkeit seines Tuns merke ich, wie schon beim ersten Blick auf ihn mein Puls ansteigt.

Wie lange wird es noch dauern, bis ich von einer bewaffneten Drohne aus beobachte, wie er genau diesen Weg geht? Wie lange, bis ich den Befehl erhalte zuzuschlagen?

Wahrscheinlich weiß er, dass er auf der Abschussliste steht, doch er kann nicht wissen, wie dicht er davor ist, getötet zu werden. Ich überwache seinen zwanglosen Gang nach Hause – er kauft eine Tüte Obst, bleibt stehen, unterhält sich mit einem Nachbarn – und bin gebannt von genau dem, was ich die Wochen zuvor so schrecklich langweilig fand.

Die Verbindung zwischen uns scheint verändert. Ich bin nicht länger der bloße Beobachter. Ich bin auserkoren, ihn zu vernichten.

Es ist schwer zu begreifen, welche gottähnliche Macht ich über diesen Mann besitze, der still seinen täglichen Geschäften nachgeht.

Jeder Soldat weiß, dass die Zeit kommen wird zu töten. Wir werden speziell für diese Aufgabe trainiert und vorbereitet. Doch für wenige andere kann Töten so betörend intim wirken.

DIE STADT

Ich lese nie die Nachrichten von Dad oder die Antworten, die ich ihm zurückbringe, doch die Menge an Kommunikation ist bezeichnend, und ich habe so ein Gefühl, als ob sich irgendwas zusammenbraut. Inzwischen mache ich mindestens zwei Gänge pro Tag.

Zeitgleich mit der gestiegenen Belastung durch die Botengänge hat Dad strengere Saiten aufgezogen, was meinen Schulbesuch angeht, und beharrt darauf, dass es mein Abschlussjahr ist und ich etwas aus meinem Leben machen soll. Ein Studium in einer Stadt, in der es keine Zukunft und wenig Hoffnung auf einen Job gibt, mag sinnlos erscheinen, aber andererseits – wieso mit der Schule aufhören? Wie lange du auch in einem Ameisenhaufen herumstocherst, die Ameisen hören nicht auf, Ameisen zu sein. Sie machen weiter, denn es gibt keine Alternative. Und wir sind nicht anders, auch wenn es mir manchmal schwerfällt, einen Sinn darin zu sehen. Wenn meine Eltern wüssten, wie oft ich die Schule geschwänzt habe, würden sie mich umbringen.

Wann immer ich eine Stunde freihabe oder einen Botengang erledigen muss, der mich in die Nähe von St. Pancras führt, mache ich einen Abstecher zu Zoes Ecke. Ich habe einen Vorrat an importierten Zigaretten in meiner Schultasche versteckt. Sie zu verkaufen ist einfach, und der Gewinn ist hoch, aber ich komme nicht deshalb immer wieder her. Was mich dort hinzieht, ist die Chance, Zoe zu treffen.

Wir grüßen uns jedes Mal, manchmal bloß durch ein Winken, manchmal wechseln wir auch ein paar Worte.

Ich versuche, nicht zu viel zu ihr rüberzustarren. Das Lutscher-Manöver kann ich nicht noch mal bringen, das sähe ja aus, als würde ich mir ihre Aufmerksamkeit erkaufen wollen, aber einen anderen Weg, mit ihr zu reden, gibt es nicht.

Theoretisch weiß ich, wie so was läuft. Der Junge spricht das Mädchen an und fragt, ob sie sich treffen können. So machen sie es jedenfalls in den Filmen. Und meine Freunde kriegen das offenbar auch hin. Aber in der Realität funktioniert das irgendwie nicht so einfach.

Nachdem ich Hunderte Pläne durchdacht und verworfen habe, was ich ihr als Treffpunkt vorschlagen könnte, fälle ich eine Entscheidung. Das nächste Mal, wenn die Sonne scheint, werde ich morgens zwar ganz normal mit den Hausaufgaben und meiner Lunchbox in der Tasche zur Schule aufbrechen, doch an der nächsten Ecke abbiegen, um bei dem Zeitungshändler in der Caledonian Road Nachschub zu besorgen. Inzwischen habe ich durch den Gewinn vom Zigarettenverkauf genug Geld für fünf Schachteln. Trotzdem begrüßt mich der Verkäufer noch immer mit einem Grummeln.

Gerade als ich wieder aufbrechen will, geht ein heftiger Frühlingsschauer nieder. Die Gehwege, die sonst immer voll sind mit Horden heruntergekommener Londoner, leeren sich schlagartig, als die Leute eilig nach einem Unterstand suchen. Ich ziehe den Kragen meiner Jacke hoch und renne los, weiche Wasserstrahlen aus, die aus kaputten Dachrinnen schießen, springe zwischen riesigen Pfützen und stinkenden Bächen hin und her, die aus Rohren und Gullyschächten strömen, wann immer es regnet, und bin froh, so schnell voranzukommen. Das Wetter ist mir egal, in mir kribbelt die Vorfreude, als sich die Entfernung zwischen mir und Zoe spürbar verringert.

Kaum dass ich St. Pancras erreiche, zeigt sich schon wieder die helle, tiefstehende Sonne.

Trotz des üblichen Chaos auf der Kreuzung entdecke ich Zoe sofort. Es ist, als ob sie auf unserer privaten Wellenlänge Signale aussenden würde. Vermutlich würde ich sie sogar mit geschlossenen Augen finden.

Ich weiß nicht, ob sie mich auch schon gesehen hat, und ich möchte nicht, dass sie denkt, ich würde sie stalken, deshalb beginne ich erst mal mit dem Verkaufen. Während ich mit meinen Zigaretten von Auto zu Auto gehe und alles daransetze, dichter zu Zoe heranzukommen, spüre ich, wie sich meine Aufregung zu etwas anderem verknotet und mir den Mut nimmt.

Tagelang habe ich an meinem Plan getüftelt, und jetzt schwindet mein Selbstvertrauen einfach so. Allein den richtigen Moment zu finden, Blickkontakt herzustellen und sie zu grüßen wirkt mit einem Mal wie eine übermächtige Aufgabe, die ich unmöglich hinkriegen kann. Je mehr ich überlege, wie ich anfangen soll, desto stärker verdunkelt sich mein Gehirn, und ich weiß nicht mehr, wo ich hinschauen, was ich mit meinem Mund anfangen und wie ich dastehen soll. Mein Kopf kriegt nicht einen Satz, nicht eine Feststellung, nicht mal eine simple Begrüßung zustande.

Irgendwo schwimmt das Wort «Hallo» als ein möglicher Anfang in meinen Gehirnwindungen rum. Aber danach fällt mir nichts anderes ein, als mit der Frage herauszuplatzen, die das eigentliche Ziel ist. Aber man muss doch drauf hinarbeiten! Locker sein, charmant, witzig.

Das Ganze – diese Sache mit Mädchen – ist nicht gerade meine Stärke.

«ICH HAB GEFRAGT, WIEVIEL!»

Ein Glatzkopf mit fledderigem T-Shirt brüllt mich aus dem Fenster eines Lieferwagens an. Er will Zigaretten.

Ich verkaufe sie ihm, trete zurück auf den Mittelstreifen und denke, die einzige Möglichkeit, mich nicht zum Affen zu machen, ist, aufzugeben und in die Schule zu gehen, aber plötzlich ist Zoe da, springt hinter einem Bus hervor in meine Richtung.

Sie bleibt direkt vor mir stehen, die Füße eng zusammen auf einem Randstein, und lächelt, doch sagt kein Wort. Die eine Hand ist zu einer Igelfaust aus Dauerlutschern geformt, die andere liegt locker auf einem verbogenen Verkehrspoller.

Das Grün ihrer Augen und das Schwarz der Haare springen mich an, dass mir ganz schwindelig wird. Zum ersten Mal registriere ich, dass ihr Pony schief geschnitten ist.

Links endet er über der Augenbraue, und rechts senkt er sich bis auf die Wimpern.

Anstatt etwas zu sagen oder wenigstens zu lächeln, merke ich, dass ich sie bloß anstarre und mich frage, ob sie den Pony absichtlich so geschnitten hat. Ich weiß nicht, wie viel Zeit vergeht, ohne dass ich dran denke, Hallo zu sagen.

«Ist so gewollt», sagt sie.

«Oh! Ich wollte nicht … ich meine …»

«Schon gut. Wenn ich nicht wollte, dass die Leute schauen, hätte ich ihn ja gerade geschnitten, oder?»

«Wahrscheinlich. Gefällt mir.»

«Ja?», fragt sie.

Ein Lastwagen fährt so dicht vorbei, dass der Luftzug den Pony zerzaust, aber Zoe rührt sich nicht, sondern sieht mich nur an und wartet auf meine Antwort. Sie will ernsthaft wissen, ob mir ihr schiefer Haarschnitt gefällt, was mir bewusst macht, dass ich es nur aus Höflichkeit gesagt habe, doch jetzt, wo ich noch einmal richtig hinschaue, denke ich, er gefällt mir tatsächlich.

«Ja», antworte ich. «Hat Stil.»

Mit der Hand, die nicht die Dauerlutscher hält, schiebt sie den Pony hoch und zeigt mir eine dünne Schnittwunde, die quer über die Stirn läuft und sonst von dem Haarschnitt verdeckt wird. Die Narbe hat die dunkelrote Färbung einer noch nicht lange verheilten Verletzung. Sie schneidet eine feine Kerbe mitten durch Zoes rechte Augenbraue.

«Granatsplitter», sagt sie.

Der Verkehrslärm um uns herum scheint zu verebben. Die mit Einschusslöchern überzogenen, bröckelnden

Häuserwände treten irgendwie zurück, als wollten sie dem drängenden Verlangen nachgeben, Zoe festzuhalten. Einen Moment lang scheint mein Leben im Gleichgewicht, ausbalanciert auf einer Fingerspitze. Dann kehren die Geräusche der Stadt zurück, die Gebäude an ihren Ort, und die Zeit setzt wieder ein.

Zoe lässt ihre Haare zurückfallen, ihr schießt die Röte ins Gesicht. «Ich weiß nicht, wieso ich das gerade getan hab», sagt sie verlegen. «Tut mir leid. Ich wollte mich nicht wichtigmachen. Völlig bescheuert.»

«Nein», antworte ich. «Es muss dir nicht leidtun. Ist schön so.»

«Die Narbe?» Ein Anflug von Ärger zieht ihr die Augenbrauen zusammen. Sie denkt, ich mache mich über sie lustig.

«Alles.»

In dem Moment, als das eine Wort über meine Lippen kommt, weiß ich, dass ich zu viel gesagt habe, preisgegeben habe, was besser verborgen geblieben wäre, mich total lächerlich gemacht habe.

Sie schaut auf ihre Füße. Ich sehe ihre Wimpern und Wangenknochen, aber ihren Gesichtsausdruck kann ich nicht erkennen.

Ein Bus, der anfährt, stößt seine graue Dieselwolke zwischen uns. In der Ferne höre ich mehrere Sirenen heulen. Sie prallen aufeinander, überlagern sich in ihrem wellenförmigen Auf und Ab.

Es sollte doch nicht so schwer sein, sich mit einem anderen Menschen zu unterhalten. Wieso wird etwas so Selbstverständliches plötzlich zu so einem tückischen Hindernislauf?

Ich kann jetzt nicht mehr zurück, kann nicht zurücknehmen, was ich gesagt habe. Die einzige Chance ist, weiterzumachen und alles auf eine Karte zu setzen.

«Ich bin ... also ... ich hab ein bisschen Geld verdient mit dem Verkaufen hier, und ich hab's gespart für ... ich hoffe, das klingt jetzt nicht verrückt, aber ich wollte mir ein Mountainbike besorgen. So ein Typ bei mir in der Straße verkauft seins und ... weißt du ... ist zwar schwer, irgendwo hinzukommen, aber ich hab mir überlegt, am Wochenende vielleicht einen Ausflug zu machen. Das Rad hat hinten einen Gepäckträger, ist nicht gerade bequem und so, doch wenn's dich nicht stört, hinten draufzusitzen, könnten wir ja was zusammen machen. Ich bin schon ewig nicht mehr auf dem Parliament-Hügel gewesen. Okay, wahrscheinlich ist es eine bescheuerte Idee, aber wenn du Lust hast mitzukommen ...»

Das war nicht die Rede, die ich geplant und auswendig gelernt hatte, aber ich habe, wenn auch taumelnd, zumindest halbwegs den Kern getroffen. Wenn ich weiterrede, kann es nur noch lächerlicher klingen.

Zoe hebt das Kinn, streicht eine Haarsträhne hinters Ohr und starrt mich an. Diese Augen! Als unsere Blicke sich treffen, vergesse ich beinahe weiterzuatmen.

«Meinst du das ernst?», fragt sie.

«Ja, also ... du hast wahrscheinlich schon was anderes vor, aber ...»

«Das wär super.»

«Echt?»

«Ja. Ich hab schon seit Jahren nicht mehr auf einem Fahrrad gesessen. Als ich so zehn war, hatte ich eins. Es war rot, und ich hab es geliebt, aber ... egal. Wann willst du los?»

«Äh ...»

«Samstag?»

«Okay.»

«Sollen wir uns hier treffen? Um zehn?»

«Du hast zu tun, nicht?», sage ich, ohne so richtig zu wissen, was ich meine, doch sie lacht, wirft ihre Haare zurück und zeigt für einen Augenblick ihre weiche, blasse Nackenhaut.

«Komm nicht zu spät», sagt sie, zieht eine Augenbraue hoch, dreht sich dann schnell weg, hüpft von dem Mittelstreifen und arbeitet weiter.

Ich stehe da und beobachte, wie sie sich links und rechts durch die Lawine aus Blech und Glas schlängelt, gleich einem Fisch, der, einem elementaren Überlebensdrang folgend, unermüdlich flussaufwärts schwimmt. In ihren ruhelosen, nie stillstehenden Gliedern steckt eine erstaunliche Energie, doch während ich ihr bei der Arbeit zusehe, wird mir klar, wenn sie nur eine Sekunde aufhörte zu kämpfen, würde ihr zerbrechlicher kleiner Körper blitzschnell fortgespült werden.

Ich habe in diesen Augen heute etwas Neues entdeckt, etwas Trauriges, ein Wissen, was Schmerz ist, das mich nur noch stärker für sie empfinden lässt.

Vermutlich hat sie bei der Explosion, von der sie die Stirnwunde hat, jemanden verloren. Vielleicht sogar ihre ganze Familie. Warum sonst sollte sie tagein, tagaus hier auf der Straße herumlaufen und um Geld betteln?

Überall im Streifen kämpfen Menschen nur um das tägliche Überleben. Man ist schon privilegiert, wenn man Eltern hat, ein Zuhause und ein Familieneinkommen. Manche von uns schaffen es irgendwie, sich um Großeltern, Onkel, Tanten oder Cousinen zu kümmern. Aber darüber hinaus gibt es nichts. Überall herrscht Verzweiflung. Fremden zu helfen wäre so, als würdest du um jedes einzelne fallende Blatt in einem Wald trauern.

Wenn ich diesem Mädchen, das ums Überleben kämpft, meine Hand reiche, trete ich in eine tödliche Strömung, die mich mitreißen könnte.

Doch ich habe die Hand schon ausgestreckt. Ich bin bereits mit ihr verbunden. Es ist geschehen.

DIE BASIS

Ich entdecke sie sofort im Kasino.

Jeden Tag, egal in welcher Schicht ich bin, sitze ich mittags mit demselben Haufen Jungs in derselben Ecke, doch als ich diesmal von der Essensausgabe komme und dieses neue Mädchen sehe, das allein dasitzt und isst, bleibe ich stehen, drehe mich um und gehe ganz zwanglos auf sie zu, um noch einmal genauer zu schauen.

Sie hat eine kleine, spitze Nase und einen schmalen, etwas strengen Mund, der sich beim Kauen eigenwillig kreisförmig bewegt, trotzdem ist sie irgendwie attraktiv. Sie isst schnell, mit gesenktem Kopf, und macht keine Anzeichen, dass es ihr recht wäre, wenn man sich zu ihr setzt.

Ich überlege kurz, wie ich mich verhalten soll, und versuche, allen Mut zusammenzunehmen, der mich normalerweise in solchen Situationen verlässt. Es kommen ständig neue Piloten, Sensor-Operators und Analysten, aber Frauen sind eine Seltenheit und ziehen natürlich die Aufmerksamkeit auf sich. Jeden Moment wird sich irgendwer auf einen der leeren Stühle an ihrem Tisch setzen.

Ich war nie besonders gut im Umgang mit Mädchen. Ich könnte auch sagen, ich hab es nie richtig versucht, aber wenn man schon vorher weiß, dass man scheitern wird, ist es schwer, sich nicht davon ausbremsen zu lassen.

In der Schule gehörte ich nie zu den Coolen oder zu irgendeiner anderen Gruppe. Ich bleibe lieber im Hintergrund.

Was Mädchen betrifft, habe ich festgestellt, man muss dafür sorgen, dass was geschieht, sonst passiert überhaupt nichts.

Ich beobachte oft, wie selbstsicher manche Menschen sind, wie sie sich geben und was sie sagen. Ich habe es genau studiert, so wie man etwas für ein Examen studiert. Ich kenne die Theorie, jetzt muss ich nur den Mut finden, es in die Praxis umzusetzen.

Während meines Piloten-Trainings war viel davon die Rede, eigene Fähigkeiten auf die «Bühne des Krieges» zu übertragen. Daran muss ich jetzt denken. Alles ist eine Bühne. Das Leben ist ein Theater. Was wir sind, was wir tun, wie wir uns verhalten: alles ist Show. Das heißt, *du* entscheidest, welche Rolle du spielen willst.

Während ich mit meinem Tablett in der Hand dieses Mädchen im Kasino beobachte und gegen den Drang ankämpfe, mich davonzuschleichen und zu den üblichen Leuten zu setzen, rede ich innerlich auf mich ein mit all den motivierenden Worten, die mir schon Hunderte Male zuvor im Kopf rumgegangen sind. Ich sage mir, dass das Leben nicht durch irgendein Austarieren von gutem und schlechtem Benehmen, von Nettigkeit und Bosheit bestimmt wird, sondern davon, wie du dich in einer kleinen Zahl entscheidender Augenblicke verhältst. Dass du in diesen Momenten der sein musst, der du sein willst, um deine Zukunft in die eine oder die andere Richtung zu lenken.

Ich atme dreimal tief durch und gehe – mit einem Gefühl, als würde ich einen Einsatz starten – auf das Mädchen zu.

«Ist der Platz noch frei?», frage ich.

Mit einer Bewegung der offenen Hand zeigt sie ein Ja an.

«Erster Tag heute?», frage ich, als ich sitze, und spreche lauter, um mich gegen die Geräuschkulisse im Kasino verständlich zu machen.

Sie nickt, kaut, schluckt.

Ein angenehmer Duft nach Rindfleisch und Vanillepudding dringt mir von meinem Tablett in die Nase, als ich mein Besteck nehme und mich bemühe, ein entspanntes Verhalten vorzutäuschen. Ich spüre die Blicke der Jungs an meinem üblichen Tisch, die mir im Nacken brennen.

«In welcher Abteilung arbeitest du?», frage ich.

Jemand lässt einen Teller fallen, der scheppernd auf dem Fliesenboden landet. Aus einer fernen Ecke erhebt sich ein halbherziges Johlen. Plötzlich ist mir, als ob mein Kragen zu eng und zu hoch säße.

«Software.»

«Software?», wiederhole ich, und meine Stimme klingt überraschter, als ich beabsichtigt hatte, dabei bin ich eigentlich kein bisschen überrascht.

«Nur als Praktikantin», fügt sie hinzu.

«Dann bist du also Programmiererin?»

«Hauptsächlich Fehler beheben und Updates machen. Und du?»

«Pilot.»

«Pilot?» Ihre klaren braunen Augen sehen mich zum ersten Mal direkt an. Ihr Blick hat etwas vorsichtig Abschätzendes, und sie blinzelt, als sträube sie sich, mich länger als einen Moment lang anzusehen. Sie trägt kein Make-up, doch ihre Augenbrauen sind zu zwei schmalen, gewölbten Strichen gezupft, was ihr einen Ausdruck von dauerndem Erstaunen vermittelt.

«Joystick-Hero», sage ich. Jetzt, wo ich ihre Aufmerksamkeit habe, kann ich es mir leisten, mich über meinen Job lustig zu machen. Der Begriff ist der Standard-Joke auf der Basis, doch nachdem sie heute den ersten Tag da ist, hat sie ihn vielleicht noch nicht gehört. Eine Sache habe ich gelernt: Um eine Frau zu beeindrucken, musst du eine Balance finden zwischen Show machen und die Dinge locker nehmen. Das Ziel ist, ihr klarzumachen, wie toll du bist, doch ohne zu zeigen, dass du genau das versuchst, was paradox und verrückt klingt, aber genau so funktioniert es.

Das Mädchen schiebt eine Gabel voller Bohnen zwischen ihre engstehenden Zähne.

«Hauptsächlich Routine-Überwachung», sage ich möglichst bescheiden. «Einfach nur Beobachtung und Aufklärung, aber ich bin auch zum Sensenmann ausgebildet, ist also nur eine Frage der Zeit.»

«Und das gefällt dir?»

Das ist eine heikle Frage, eine, die mir noch niemand gestellt hat. Ich kann nicht behaupten, dass ich meinen Job nicht mag, aber wenn ich ja sage, klingt das gleich so mordlüstern.

Ich stecke mir ein Stück Fleisch in den Mund, kaue und spiele auf Zeit. Eine alte Floskel geht mir durch den Kopf, die ich wohl mal von einem anderen Soldaten gehört haben muss, und ich antworte ihr, dass es mir wichtig ist, mein Land zu verteidigen. Deshalb mag ich den Job.

Sie schmunzelt und wendet sich wieder ihrem Steak zu, schneidet ein sauberes Quadrat ab und bestreicht es mit Kartoffelpüree.

«Was?», frage ich.

Sie sieht mich aus zusammengekniffenen Augen fest an.

«Tja, scheint so, als ob du den richtigen Job hast.»

«Wieso das?»

«Du wägst alles genau ab, bevor du einen Schritt machst. Ganz nach Vorschrift.»

«Was soll das heißen?»

«Nur – dass das eine sehr vorsichtige Antwort war.»

«Ist das was Schlechtes?»

So langsam kommt unser Gespräch zwar in Gang, aber ich weiß nicht, ob sie sich über mich lustig macht.

«Nein», sagt sie schnell, vielleicht weil sie merkt, dass sie Unmut provoziert. «Nein, alles okay. Alles gut.»

«Du kannst in meinem Job nicht unachtsam sein», sage ich in einem Ton, der schnippischer klingt, als ich wollte. «Es ist schwer, dagegen anzukommen. Das Training beeinflusst dein Denken.»

«Oder vielleicht musst du von Natur aus so sein.»

Ich weiß immer noch nicht, ob sie nur stichelt, doch so langsam spüre ich dieses vertraute Gefühl des Scheiterns, das einen herunterzieht wie eine zurückweichende Welle.

Hinter ihrer linken Schulter sehe ich eine Gruppe von meinen Jungs das Kasino verlassen, winken und alberne Handbewegungen machen. Ich versuche, sie nicht zur Kenntnis zu nehmen, habe meinen Gesichtsausdruck im Griff.

Es hilft mir irgendwie, mich auf einen letzten Versuch zu konzentrieren. Ich beschließe, den Ball zurückzuspielen.

«Und bist *du* im richtigen Job?», frage ich.

«Definitiv.»

«Wieso das?»

«Weil ich gut darin bin.» So wie sie es sagt, klingt es irgendwie eher objektiv als arrogant.

«Gefällt es dir, hier zu arbeiten?», frage ich weiter.

«Ich hab ja gerade erst angefangen ... Es ist ein aufregender Ort. Ich meine, das hier ist die Zukunft, findest du nicht?»

«Absolut. Wir sind an der Spitze.»

«Niemand da draußen weiß, was alles möglich ist.»

«Genau. Wir können fast alles tun.»

«Ist der Wahnsinn», sagt sie und sieht mich zum ersten Mal direkt an. Ich will nicht der sein, der als Erster wegschaut, doch der Moment scheint sich zu dehnen und zu intensivieren, bis ich die Nerven verliere und meinen Blick senke.

Während ich ein schwieriges Knorpelstück durchschneide, merke ich, dass wir irgendwie wieder gestrandet sind. Es ist, als lege sich eine seltsame Stille über das wuselige Kasino, so wie herabsinkender Winternebel. Ich durchwühle mein Hirn nach Themen, um unsere Unterhaltung fortzusetzen, finde aber nichts Besseres als die Frage, mit wem sie zusammenarbeitet.

Sie nennt ein paar Namen. Ich frage, was sie von ihnen hält. Sie antwortet, und auf einmal wirkt das Ganze gar nicht mehr so schwierig. Man stellt Fragen, aus denen sich weitere Fragen ergeben. Mit Jungs zu reden ist wie Boxen, mit Mädchen ist es wie ein geruhsames Tennisspiel.

Langsam entspanne ich mich, und die Angst fällt von mir ab. Wir spielen Wörter hin und her, so wie es sein soll. Und ich mache keinen Affen aus mir.

«Was machst du nach der Arbeit? Hast du noch Lust, irgendwo hinzugehen?», frage ich ein bisschen zu abrupt und ohne geeignete Vorbereitung. Sobald die Frage heraus ist, weiß ich, es war ein Fehler. Nach ihrem Gesichtsausdruck zu urteilen, glaube ich, dass ich zu weit gegangen bin. Schlimmer noch, ich habe drei Schritte auf einmal gemacht. Aber wenn ein Satz erst mal raus ist, gibt es kein Zurück mehr.

Sie zieht eine ihrer dünnen Augenbrauen hoch und mustert mich nachdenklich, die volle Gabel in der Luft zwischen Teller und Mund.

«Kann heute nicht», sagt sie und schiebt ihr Essen in den Mund. Nach ein paarmal Kauen fügt sie hinzu: «Aber vielleicht Freitag.»

Alles hängt an dem «vielleicht».

Manchmal muss man einfach dreist sein. In Filmen funktioniert das immer. Das Vorantreiben und Zurückweichen gehört zum Spiel. Und es ist Aufgabe des Mannes, die Dinge voranzutreiben. Deshalb beschließe ich, das «vielleicht» zu ignorieren.

«Dann also Freitag», antworte ich. Nicht als Frage, sondern als Ansage. Es klingt genau richtig, bestimmt, mit nur einem Hauch Arroganz.

Sie zuckt mit den Schultern und murmelt: «Okay.»

Wahnsinn.

Volltreffer.

Ich will nichts zerstören oder ihr die Chance geben, einen Rückzieher zu machen, deshalb sage ich, sobald wir Ort und Zeit festgelegt haben, dass ich spät dran bin für meine Schicht, esse so schnell wie möglich zu Ende und gehe zurück in den Flugraum, geradezu schwebend auf einem Teppich aus Triumph und Erleichterung.

Die ersten ein, zwei Stunden ist der Bildschirm nicht viel mehr als ein verschwommener Fleck vor meinen Augen. Ich starre auf die Bilder, doch ich kann mich nicht auf das konzentrieren, was sie mir sagen.

Irgendwann im Laufe des Nachmittags registriere ich dann doch, dass der Sohn von #K622 ein Fahrrad kauft. Ich sehe nicht den Geschäftsablauf, sondern nur wie er mit dem Rad am Ende der Straße auftaucht. Das Rad muss kaputt sein, denn er fährt nicht, sondern schiebt es den Gehweg entlang und schließlich ins Haus.

Ein paar Minuten später taucht das Rad in der Tür zum Garten wieder auf, zusammen mit dem Jungen und seinem Vater. Es ist einer der wenigen Momente, in denen ich #K622 bei Tage im Garten sehe. Sie stellen das Rad auf den Kopf und machen sich an die Arbeit. Sie nehmen Speichen heraus und bauen neue ein. Die Auflösung ist nicht scharf genug, um sicher zu sein, doch es sieht so aus, als ob sie die Zahnräder und die Kette abnehmen, in einen Eimer legen und einzeln reinigen. Dann wird weitergewerkelt – vielleicht montieren sie neue Bremszüge, ich sehe es nicht genau, und danach steigt der Junge immer wieder auf und ab, und der Vater justiert Sattel und Lenker genau auf die richtige Höhe.

#K622 scheint das Ganze zu dirigieren und seinem Sohn zu sagen, was er tun soll. Er reicht ihm die Werkzeuge, aber meistens sieht es so aus, als ob er nur redet und den Jungen dazu anleitet, alles selbst zu machen.

Es ist seltsam, all dies zu beobachten. Die beiden haben keine Ahnung, wann und wie dicht ich an ihnen dran bin, sie sehen nur eine Drohne weit oben am Himmel, doch zum ersten Mal empfinde ich mich als eine Art Eindringling. Es fühlt sich nicht richtig an, dass ich den Mann und seinen Sohn beobachte, wie sie diese privaten Stunden zusammen verbringen. Und doch kann ich den Blick nicht von ihnen wenden.

Nach einer Weile merke ich, wie ein Gefühl von Selbstmitleid, vielleicht sogar Neid in mir hochsteigt.

Es ergibt für mich keinen Sinn, neidisch zu sein auf diese Leute, die ihr tristes Leben gefangen in einem brutalen Drecksloch von Stadt leben, aber es ist auch unmöglich, nicht darüber nachzudenken, wie es mir ergangen wäre, wenn ich einen Vater gehabt hätte.

Wer wäre ich geworden? Wie würde sich das anfühlen? Ich habe keine Ahnung.

Jeden Tag meines Lebens spüre ich diese erdrückende Abwesenheit, oft nur als kurzes Aufflackern, aber manchmal auch mit einer schwindelerregenden Wucht.

Ein stechender Schmerz durchfährt mich, als mir bewusst wird, warum es #K622 so wichtig ist, dass sein Sohn versteht, wie man das Fahrrad repariert: Er weiß, dass er überwacht wird und seine Tage gezählt sind. Ich bin für sie unsichtbar und doch ganz präsent. Ich könnte der Grund sein, wieso sie tun, was sie tun.

Sobald das Rad fertig gerichtet ist, startet der Bengel damit durch die Straßen. Ich nenne ihn Bengel, obwohl ich glaube, dass er mindestens sechzehn ist. Die Analysten werden sein Alter wissen, aber sie haben es mir nicht genannt. Wir sollen alles sehen, aber nichts verstehen, nur fliegen, die Linse draufhalten und auf Befehl eine Rakete abschießen. Das Denken passiert woanders.

Gesichtsausdrücke kann ich von hier oben nicht erkennen, aber ich kann die Freude förmlich spüren, als der Junge durch Camden saust und immer schneller zwischen den Autoschlangen hindurchprescht, quer durch das Zentrum der Stadt und hinunter zum Fluss. Seit ich ihn beobachte, ist er noch nie so weit von zu Hause weg gewesen.

Erst am Fluss steigt er ab, legt sein Rad auf den Boden und klettert die Reste einer Ufermauer hinab. Er setzt sich hin und schaut reglos übers Wasser.

Als ich ihn so beobachte, steigt in mir der mulmige Gedanke hoch, dass #K622 vielleicht nicht allein sein könnte, wenn ich den Befehl bekomme anzugreifen. Er könnte bei der Arbeit sein, er könnte einen Spaziergang machen, oder er könnte zu Hause bei seiner Familie sein. Kollateralschäden werden stets abgewogen, aber bei zeitrelevanten Operationen hat das nicht oberste Priorität.

Gerade als ich am meisten Distanz und Gleichgültigkeit brauche, habe ich das Gefühl, als ob sich eine Membran zwischen mir und diesem Jungen auflöst. Wie er da auf die Themse blickt, entspannt und ohne Regung, sehe ich in ihm nicht bloß den Sohn eines Terroristen, der sich nach einer Fahrradtour ausruht, sondern auch einen jungen Mann, der den Rausch des nachlassenden Adrenalins genießt und diese wunderbare Einsamkeit auskostet, wenn niemand weiß, wo man ist.

Ich richte mich entschlossen auf und schaue mich im Flugraum um. Ich darf nicht zulassen, mir vorzustellen, dass ich diese Menschen da unten kenne. Wenn meine persönliche Distanz aufbricht, bin ich verloren.

Alle Gesichter im Flugraum sind auf einen Bildschirm gerichtet. Eine schwerlastende Totenstille erfüllt die Luft, nur unterlegt von dem leisen Surren der Festplatten, dem Summen der Klimaanlage und einem leichten Brummen der Leuchtstoffröhren. Es gibt keine Fenster. Man muss auf die Uhr schauen, um zu sehen, ob Tag oder Nacht ist.

Ich lege mein Headset ab, stehe auf, greife nach meiner Wasserflasche und nehme einen tiefen Schluck. Die kühle Flüssigkeit, die durch meine Kehle läuft, macht mich wach, führt mich in meinen eigenen Körper zurück, auch wenn der Flugraum so ein merkwürdiger, jenseitiger Ort ist, wo man, wenn man sich von seinem Bildschirm abwendet, das Gefühl hat, nur aus dem einen Traum aufzusteigen, um sofort in den nächsten einzutauchen.

Ich setze mich wieder und zerdrücke die leere Wasserflasche. Das Knirschen des Kunststoffs in meiner Hand wirkt wie eine winzige Rückversicherung, wer und wo ich bin. Sobald ich wieder vor dem Kontrollschirm hocke, steuere ich meine Drohne zurück zu dem Haus von #K622.

Dort wird nichts geschehen, aber ich fühle mich nicht wohl, den Sohn zu beobachten. Wenn ich zurück auf das Haus klicke, kann ich in eine angenehme Langeweile sinken und meine Gedanken wieder zu dem Mädchen aus dem Kasino treiben lassen, diesem geheimnisvollen, verführerischen Wesen, das ich, wie ich plötzlich merke, völlig vergessen habe, nach ihrem Namen zu fragen.

DIE STADT

Ich kann mich noch dran erinnern, wie ich als Kind Fahrradfahren lernte, und zwischendurch habe ich auch immer mal wieder auf einem Rad von anderen Leuten gesessen, aber ich hatte keine Ahnung, dass einem ein Gefährt wie dieses solch ein Gefühl von Freiheit verschaffen kann.

Am Anfang ist es noch ein bisschen wackelig, doch dann klappt es schnell wieder richtig gut. Das letzte Mal, als ich ein Fahrrad hatte, war ich jünger als die Zwillinge und durfte nicht weiter als bis zum Ende unserer Straße fahren. Jetzt kann ich mit diesem simplen Ding die ganze Stadt erobern.

Die meiste Zeit bin ich schneller als jedes noch so teure Auto. All die frustrierten, in ihren Wagen eingezwängten Erwachsenen hängen wütend im Stau fest. Ich aber schlängele mich zwischen ihnen hindurch und lasse sie hinter mir zurück. Auf einem Fahrrad interessieren einen keine Regeln. Wenn die Autos zu dicht stehen, weicht man auf den Gehweg aus, schießt zwischen den Fahrzeuglücken der einmündenden Straßen hindurch, sucht sich den kürzesten Weg und so weiter. So zwischen den endlosen Reihen der schleichenden oder stehenden Autos hindurchzugleiten ist für mich fast wie Fliegen.

Man muss aufmerksam sein, so konzentriert und auf der Hut wie beim Gamen, aber genau das macht die Sache aus. Die Herausforderung besteht darin, nie zum Stehen zu kommen, nie im Stau zu stehen wie all die Idioten, die bloß mit ihren teuren Blechkisten Abgase in die Luft pusten.

An den ersten Tagen, als ich das Rad habe, verringert Dad mein Arbeitspensum auf nur eine Nachricht pro Abend. Allerdings besteht er darauf, dass ich sie zu Fuß abliefere. Sobald ich meine Aufgabe erledigt habe, mache ich mich auf den Weg durch die Stadt, flitze durch Gegenden, in denen ich noch nie war, und versuche mich in der endlosen Weite des ehemaligen Londoner Straßennetzes zuerst zu verlieren und dann Stück für Stück zurechtzufinden.

Mit jeder Fahrt habe ich das Gefühl, dass der Stadtplan in meinem Kopf immer weiter über den vertrauten Bereich um mein Zuhause hinauswächst, nach Norden bis zu den Flüchtlingslagern im Hampstead-Heath-Park, nach Osten den ganzen Zaun entlang, nach Westen bis zur anderen Grenze und nach Süden durch das verstopfte geschäftige Zentrum der Stadt bis zum Fluss. Jenseits der Themse gibt es noch mehr zu erforschen, und dieses Gefühl, dass es neue Orte zu sehen, unbekannte Dinge zu entdecken gibt, fühlt sich an wie ein Ausbruch aus einem Gefängnis.

Es ist natürlich nur ein Ausbruch innerhalb eines Gefängnisses, denn der Streifen ist und bleibt eingezäunt, abgesperrt, eine riesige Menschenfalle, aber allein und unbeobachtet, angetrieben nur durch die Kraft meiner eigenen

Beine wenigstens diesen Teil der Stadt zu erkunden gibt mir ein Gefühl von Freiheit. Es würde Jahre brauchen, jede Straße, jedes Gebäude, jeden Bombentrichter zu sehen und die Megastadt ganz und gar aufzusaugen.

Wenn man sein Leben lang in ein und derselben Stadt gelebt hat und dann auf einmal das ganze Gebilde erkunden kann, ist das, wie sich selbst zu entdecken. Jeden Abend, wenn ich auf dem Rad sitze, habe ich das Gefühl, mehr darüber zu erfahren, wo ich bin und irgendwie auch wer ich bin.

Bis zum Samstag fühle ich mich so sicher auf dem Rad, als würde ich auf meinen zwei Beinen stehen, sodass ich Zoe zumindest im Nordteil der Stadt hinfahren kann, wohin sie will, ohne mich zu verirren. Als ich an unserem Treffpunkt ankomme, sehe ich sie sofort, auch wenn sie nicht da steht, wo ich sie erwartet habe, und auch immer nur kurz hinter der Masse der Fußgänger auf der Kreuzung sichtbar wird. Sie steht in einem Strahl aus staubgetränktem Sonnenlicht gegenüber der Ecke, wo sie normalerweise arbeitet, und starrt die Easton Road lang. Eine Sorgenfalte teilt ihre Augenbrauen, als sie durch den wogenden Verkehr späht. Ihr Kopf ist zur Seite gedreht, eine diagonal laufende Sehne läuft sichtbar an ihrem langen, glatten Hals entlang.

Sie hat mich noch nicht entdeckt, und so kann ich sie einen Augenblick lang unbemerkt betrachten. Ich tue nichts. Schaue nur. Sie hat ihr Gewicht auf ein Bein verlagert, das andere ist angewinkelt, die Hacke des Turnschuhs gegen den Knöchel gestützt. Zoe trägt enge Jeans und ein passendes T-Shirt, aber keinen ihrer üblichen Kapuzenpullover.

Und zum ersten Mal nehme ich ihre Figur wahr, die ganze Macht ihrer wahnsinnigen Schönheit.

Ich winke nicht. Ich lächle nicht mal. Noch nicht. Ich stehe bloß da, gewöhne mich an ihren Anblick, versuche, meinen Puls zu beruhigen. Ich kann nur schwer glauben, dass sie Hunderte Menschen an sich vorbeiströmen lässt und ihr Blick nach nur einer Person sucht: nach mir. Schon allein der Gedanke ist wie ein großes Geschenk.

Dann treffen sich unsere Blicke, sie lächelt, winkt und jagt zwischen dem Verkehr hindurch, schlängelt sich in meine Richtung. Bevor ich mir eine Begrüßung für sie überlegt habe, gibt sie mir schon einen Kuss auf die Wange.

«Tut mir leid», sagt sie.

«Was tut dir leid?»

Sie befeuchtet ihren Daumen und wischt mit ihm über meine Wange. Ich merke, dass sie Lippenstift trägt und eine dünne schwarze Linie auf dem Rand der Augenlider, die noch ein paar Millimeter über den Augenwinkel hinausläuft und auf beiden Seiten in einem akkuraten Punkt endet.

«So ist es besser», sagt sie und untersucht noch einmal mein Gesicht aus wohliger Nähe.

Ich nicke, plötzlich sprachlos, gebannt von ihrer Gegenwart, ihrer körperlichen Anwesenheit so direkt vor mir, und das nur weil ich sie eingeladen habe. Mir ist, als ob ich an einem Klippenrand stehe und mich bereit mache für den Sprung in mein weiteres Leben.

Ich will ihr schon sagen, wie schön sie aussieht, überlege dann aber doch, dass es vielleicht plump oder abgedroschen klingen könnte. Während ich überlege, wie ich mein Empfinden anders ausdrücken soll, das so stark ist, dass es alle anderen Gedanken aushebelt, entsteht ein Schweigen.

«Das ist also dein neues Rad?», fragt sie schließlich.

«Ja, also, es ist gebraucht.»

«Und deswegen hast du Zigaretten verkauft?»

«Hauptsächlich, das stimmt. Gefällt's dir?

«Sieht gut aus. Nicht so gut wie das kleine rote, das ich als Kind hatte, aber man kann nicht alles haben.»

«Wenn du willst, kann ich es umlackieren.»

Ihr Lachen klingt kehlig, und es ist bezaubernder als jede Musik. «Schon gut. Aber danke.»

«Such dir eine Farbe aus.»

«Nee, schon in Ordnung», sagt sie und greift nach der Lenkstange. «Und wie sollen wir das jetzt machen?»

«Du setzt dich hintendrauf, so seitlich, und verschränkst die Fußgelenke, um nicht auf dem Boden zu schleifen. Wenn deine Beine müde werden, machen wir eine Pause, oder wir tauschen. Du musst dich an meiner Hüfte festhalten. Bist du bereit?»

«Absolut. Auf geht's.»

Ich halte das Fahrrad fest, und sie setzt sich auf den Gepäckträger. Als sie ihr Körpergewicht ausbalanciert hat, fahren wir los. Aus dem Augenwinkel sehe ich, wie der Typ, der Zoes Ecke an der Kreuzung betreibt, uns mit teilnahmslosem Gesicht beobachtet, die dicken Arme über dem fleischigen Körper verschränkt – der einzige ruhende Pol in der wabernden Menge.

Zoe quietscht vor Überraschung, als sich das Fahrrad in Bewegung setzt. Sie schwankt hin und her und bringt uns gefährlich ins Schlingern. Sie lacht immer weiter, während wir die Midland Road entlangfahren, zwischen den zwei roten Backsteinbergen hindurch, die einmal die St. Pancras Station und die Bibliothek waren. Es ist eine Einbahnstraße, deshalb halte ich mich eng am Bordstein und ignoriere das missbilligende Hupen einiger Autofahrer und die Pfiffe von ein paar Typen aus einem verdreckten weißen Lieferwagen.

Mit der Zeit finden wir unser Gleichgewicht, und auch wenn es mit ihr doppelt so schwer ist zu fahren, ist es doch ein schwindelerregendes Gefühl, Zoe auf meinem Rad zu haben. Ihre Hände an meinen Hüften jagen Wellen der Erregung durch meinen Körper.

«Zum Parliament Hill?», frage ich.

«Wieso nicht. Bist du sicher, du schaffst das?»

«Wenn es zu steil wird, können wir ja schieben.»

Im Moment ist alles perfekt: dass wir zusammen sind, dass wir irgendwo hinfahren, ohne viel reden zu müssen. Ich möchte natürlich alles über sie wissen, das Geheimnis lüften, wer Zoe ist, ob sie eine Familie hat, wieso sie als Straßenverkäuferin arbeiten muss, statt zur Schule zu gehen, doch es scheint mir zu früh für derartige Fragen.

Wir fahren weiter durch Camden, die Hauptstraße entlang, an dem ausgehöhlten Backstein-Wohnblock vorbei, der in Schutt und Asche liegt. Eine Gruppe von Kindern schwärmt spielend oder plündernd über die Trümmerberge hinweg oder vielleicht auch beides.

Wo sich die kaputte Straße auf eine Spur verengt, verdichtet sich der Verkehr zu einem wütend hupenden Knoten. Zoe steigt ab und wir schlängeln uns zu Fuß weiter, kämpfen uns durch Lücken zwischen den Autos hindurch, um dem Pulk von Fußgängern zu entgehen, der die Kreuzung in einen nahezu undurchdringlichen menschlichen Ameisenhaufen verwandelt hat.

Wir reden nicht und sehen uns auch nicht an, während wir uns weiter nach vorn durchdrängen, denn es ist unmöglich, schön auszusehen, wenn man sich mit den Ellenbogen durch eine Menge schiebt. Als ein Mann heftig gegen meine Schulter rempelt und mich und das Rad aus dem Gleichgewicht wirft, fasst Zoe nach meiner Hand und zieht mich wieder hoch. Auch wenn es viel schwieriger ist, das Fahrrad mit nur einer Hand zu lenken, lasse ich sie nicht mehr los.

Erst als wir das Schlimmste überwunden haben, sehe ich sie kurz an, und der Blick, den wir tauschen, scheint alles und nichts zu sagen: *Gott sei Dank, es ist vorbei*, und auch: *Wir leben in einer Hölle, doch wir sind jung, wir haben überlebt, und wir sind zusammen.* In diesem Moment, als wir uns an der Hand halten, am Rand eines brutalen, rücksichtslosen Menschengewimmels, begreife ich wie noch nie zuvor in meinem Leben diese schwindelerregende Verflechtung von Schönheit und Schrecklichkeit des Lebens.

Nach einer Weile löst Zoe ihre Hand vorsichtig aus meiner.

«Alles okay mit dir?», fragt sie.

Statt zu sagen, dass ich ganz benommen vor Lust bin, nicke ich bloß und frage, ob sie wieder aufsteigen will.

Sie lächelt geheimnisvoll, als ob sie irgendwie weiß, was ich denke, und setzt sich auf den Gepäckträger. Wir fahren nordwärts. Zoe hält sich noch enger an mir fest als vorher, sie hat beide Arme um meinen Körper geschlungen, und ihre Hände fassen an meine Brust. Diese paar Berührungen haben alles verändert. Die Anziehung zwischen uns hat längst nichts mehr mit bloßer Freundschaft zu tun.

Als wir den Kanal überqueren, muss ich plötzlich abbremsen, weil ein bärtiger Mann mit langen, strähnigen Haaren vom Gehweg auf die Straße tritt. Ehe ich losmotzen kann, packt er mich am Unterarm und sagt mit verzweifelter Inbrunst: «*Ich wusste, du würdest zurückkommen! Ich wusste, du würdest zurückkommen! Ich wusste, du würdest zurückkommen!*»

Ich sehe die verwirrte Trauer in seinen Augen und lasse ihn sein schauriges Mantra noch ein paarmal herausschreien, doch es scheint, als ob er nie wieder aufhören will. Der süßlich ranzige Gestank nach altem Urin dringt mir in die Nase.

«Ich bin nicht der, den Sie suchen», sage ich. «Sie meinen jemand andern.»

Er reagiert nicht, sondern redet weiter und weiter und hält mich immer noch mit seinen greisenhaften Krallenfingern fest.

«Komm, weiter», sagt Zoe.

Ich winde meinen Arm heraus, breche seinen Griff auf und fahre los. Hinter uns geht sein Singsang weiter, ohne die Tonlage zu verändern.

Auch wenn der Camden Market aus nicht mehr viel anderem besteht als ein paar Frauen, die Kisten voll selbstangebautem Gemüse verkaufen, und endlosen Tischen, an denen hungrig wirkende Menschen verhökern, was immer sie an Trödel noch zu Hause haben, herrscht trotzdem ein Andrang von Kunden, die mit ihrem Hinein- und Herausströmen die Straße blockieren. Danach wird es leerer, und ich trete fester in die Pedale.

Hinter den Überresten der U-Bahn-Station Chalk Farm wird der Weg steiler, und als ich nur noch im Schneckentempo vorankomme, springt Zoe ab. Die Angriffe müssen hier im nördlichen Teil des Streifens nicht so dicht gewesen sein. Außer den Klebebandkreuzen über jedem Fenster und ein paar Bombentrichtern zeigen die Straßen nur wenige Anzeichen von Krieg.

Ich schiebe das Rad, und Zoe geht neben mir. Sie hüpft über die Baumstümpfe, die in regelmäßigen Abständen aus dem Bürgersteig der Hintergassen ragen, auf denen wir zum Parliament Hill laufen.

«Also hast du jetzt einen Platz an meiner Ecke oder nicht?», fragt sie leichthin, doch ich kann heraushören, dass sie diese Frage schon länger beschäftigt.

«Manchmal», antworte ich.

«So funktioniert das aber nicht», hält sie dagegen.

«Wie meinst du das?»

«Du hast ihn nicht gekauft?»

«Was gekauft?»

«Eigentlich muss man dafür bezahlen. Und dann musst du noch einen Anteil von deinen Geschäften abdrücken. Ist ein Job, kein Hobby.»

«Hm, vielleicht ist es bei mir ja anders.»

«Weil dein Dad im Corps ist?»

Ich zucke mit den Schultern.

«Sind sonst schon mal Leute gekommen, ohne für ihren Platz zu bezahlen?», frage ich.

Zoe muss kichern. «Das würde keine fünf Minuten gutgehen.»

«Was macht er? Ich meine, dein Boss.»

«Craig? Er spricht ganz einfach mit ihnen. Das hat bis jetzt immer gereicht.»

«Er schlägt niemanden zusammen?»

«Muss er nicht.»

«Was ist mit dir und den andern Verkäufern? Was macht er mit euch?»

«Nichts Besonderes.»

«Aber ihr müsst tun, was er sagt?»

«Ja.»

«Sonst?»

«Man tut's einfach. Es sei denn, dein Dad hat magische Kräfte und du kannst reinschneien und wieder verschwinden, wann immer du Bock hast.»

Ihre Stimme hat einen etwas feindseligen Ton, der der Atmosphäre zwischen uns eine plötzliche Schwere verleiht.

«Wie auch immer, wir brauchen ihn», fügt sie hinzu. «Zum Schutz. Er passt auf uns auf.»

«Magst du ihn?»

Zoe bleibt stehen und sieht mich mit müden, enttäuschten Augen an.

«Was glaubst *du*?»

«Keine Ahnung.»

Sie stößt einmal scharf die Luft aus.

«Nicht mal ein bisschen. Er ist ein Verbrecher.»

«Gut.»

«Gut, dass er ein Verbrecher ist?»

«Nein, gut, dass du ihn nicht magst.»

Sie geht weiter, scheinbar sauer, doch ich weiß nicht so richtig, wieso.

«Wo wohnst du?», frage ich und versuche, sie einzuholen, ohne mit dem Schienbein gegen das Pedal zu stoßen. *Ich war glücklich. Und dann nicht mehr –*, hatte sie gesagt, als wir uns das erste Mal trafen. Ich habe es die ganze Zeit im Hinterkopf gehabt.

«An einem irgendwie komischen Ort», antwortet sie. «Wir mussten umziehen.»

Ich warte darauf, dass sie weiterspricht, doch sie schweigt. Wir gehen weiter, schneller als vorher, und schauen uns nicht an. Ich bin mir jetzt ziemlich sicher, dass sie ausgebombt wurde. Ihre Narbe stammt von dem Luftangriff. Und sie hat mindestens ein Elternteil dabei verloren.

«Tut mir leid», sage ich.

Sie nickt, sieht mich aber nicht an und legt noch mal einen Schritt zu.

«Wann war das?»

«Vor zwei Jahren. Mum war schwanger. Jetzt ist das Baby schon lange da.»

«Das heißt, sie kann nicht arbeiten?»

«Nein. Und frag nicht weiter. Das ist mein freier Tag. Wir wollen Spaß haben.»

Auf einmal läuft sie los, sprintet in einem Ausbruch von Überschwang, der eher gewollt wirkt als spontan oder glücklich, die Straße entlang.

Ich weiß ganz genau, vor welcher Frage sie davonläuft. Ihr Vater. Was ist mit ihrem Vater passiert?

An der Eisenbahnbrücke, die eine Schneise mitten durch eine Straße mit endlosen Reihenhäusern schneidet, hole ich sie ein. Die Straße führt zum Parliament Hill.

Ich schließe das Fahrrad an einem halb umgeknickten Laternenpfahl an, der an der Dachrinne eines ansonsten unzerstörten Hauses lehnt. Als ich mich umdrehe, streichelt Zoe den Kopf einer dürren, aber fordernden Katze, die, von Kopf bis Fuß schwarz, wie eine Sphinx auf einer Gartenmauer thront.

«Bedeutet das Glück oder Unglück?», frage ich. «Eine schwarze Katze, mein ich.»

Sofort bereue ich, dass mir das Wort «Glück» herausgerutscht ist. Der Begriff schwebt immer noch drohend über uns und beschreibt die Kluft zwischen meinem und ihrem Leben.

«Weder noch», antwortet sie ohne Unterton. «Ist einfach nur eine Katze.»

Sie wendet sich langsam ab, wir treten über die Bahngleise und wählen den Weg über die zusammengebrochene Brücke. Eine lange Reihe identischer Zelte, immer zwei und zwei gegenüber, dazwischen Wäsche zum Trocknen gehängt, erstreckt sich in beide Richtungen in einer leichten Kurve die alte Schienenstrecke entlang, soweit mein Auge reicht. Ein paar von den Zelten sind neu und leuchtend weiß, doch die meisten sind verblichen zu einem kränklichen Grün, mit schwarzen Moderstreifen durchzogen.

Ein räudiger sandfarbener Hund läuft aus dem vordersten Zelt, schaut zu uns hoch und schätzt die Möglichkeit ab, ob wir eine Nahrungsquelle sein könnten, dann wendet er sich ab und legt sich hin.

Wir klettern die rutschige Böschung hinauf, bleiben nebeneinander stehen und betrachten das Meer aus Zelten, das sich den weiten Abhang des Parliament Hill hochzieht. Rauchfäden von unzähligen Feuerstellen steigen in den wolkenlosen Frühlingshimmel.

«Wann warst du das letzte Mal hier?», fragt sie, als wir auf den nackten Boden des Hügels treten.

«Nicht mehr seit ich klein war», antworte ich.

«War es da auch so?»

«Kann mich nicht erinnern. Wir haben einen alten Stadtplan, auf dem das Ganze eine riesige grüne Heidelandschaft ist, aber ich weiß nicht, von wann der stammt.»

Eine Kindermeute kommt aus einem heruntergekommenen Spielplatz neben den Gleisen gelaufen und schwärmt wild kreischend an uns vorbei. Wir gehen den Hügel hinauf, an einer langen Reihe breiter, schief abgesägter Baumstümpfe vorüber. Einen Augenblick frage ich mich, ob es klug ist, hierherzukommen, zu all diesen verzweifelten, mittellosen Menschen, dann schiebe ich den Gedanken beiseite. Alle sind überall verzweifelt. Dieser Ort hier mag vielleicht ein Zelt-Slum sein, doch es ist nicht gefährlicher hier als woanders.

Während wir hinaufsteigen, erzählt Zoe mir, ohne dass ich gefragt habe, von ihrem Zuhause, das ein Luftschutzbunker im Büchermagazin der British Library ist. Sie sagt, dass das Gebäude, als es noch stand, wie ein Eisberg war.

Die Fassade wurde vor einiger Zeit zerstört, doch es gibt immer noch ein weitverzweigtes unterirdisches Labyrinth, vollgestellt mit alten Büchern, wo jetzt lauter Flüchtlinge leben. Hunderte Familien hausen dort dicht an dicht. «Wenigstens haben wir dort immer was zu lesen», sagt sie in einem resignierten, wie auswendig gelernten Ton, als hätte sie den Satz schon oft gesagt und könnte daran nichts mehr lustig finden.

«Ist einer der wenigen Orte, wo du dir um Luftangriffe keine Sorgen machen musst», fügt sie hinzu. «Wir hausen so weit unten, dass wir sie kaum hören.»

Sie sagt nicht, was mit ihrem ursprünglichen Zuhause passiert ist, aber mir ist klar, dass es zerstört sein muss. Ihr Vater taucht in der ganzen Geschichte nicht auf, doch sie erwähnt auch nicht, dass er tot ist.

Wir sind beide außer Atem, als wir oben auf dem Berg ankommen. Ein niedriger Holzzaun aus einfachen Holzstiften, die mit verbogenem Draht verbunden sind, wurde errichtet, um einen mit Schotter bedeckten rechteckigen Platz abzutrennen, von wo aus man auf die ganze Stadt schauen kann, die sich unter uns bis zum Horizont erstreckt.

Die Menschen müssen hier jahrhundertelang hingepilgert sein, um die Größe und Weite von London zu bewundern. Es gibt eine Tafel aus rostfreiem Stahl, in die sämtliche Gebäude eingraviert sind, die man früher sehen konnte. Eine Gruppe von Menschen steht um die Tafel herum, zeigt und kommentiert den Anblick und sucht nach verlorenen Wahrzeichen.

Zoe und ich schauen schweigend auf die riesige Fläche

aus Beton, Stein und Stahl. Mehrere Drohnen ziehen sirrend ihre trägen Kreise, eine direkt über uns, andere weiter südlich sind nur als Flecken am Himmel zu erkennen. Sie fliegen tief und ausdauernd, kreisende Roboter-Bussarde über einem Festmahl aus Millionen Mäusen.

Der auffälligste Orientierungspunkt sind die Ruinen des ehemaligen Finanzzentrums, der Square Mile. Die Ansammlung zerstörter, zerbombter Reste, die wie Stalagmiten aussehen, war einst die Spielwiese der Millionäre. Das kann man sich heute kaum mehr vorstellen.

Die Narbe der östlichen Pufferzone ist das andere, was man nicht übersehen kann, ein leerer Streifen von Bulldozern niedergewalztes Land, das sich bis zur Square Mile und darüber hinaus erstreckt, markiert durch die markanten Betonzylinder der Wachtürme.

Es ist nicht zu erkennen, was jenseits des Grenzzauns liegt. Ich weiß, dass dort Menschen leben, doch ich weiß nicht genau, wer und wo oder warum man uns nicht aus diesem beengten Streifen Land rauslässt.

Hinter der wundersamerweise noch gänzlich erhaltenen Kathedrale St. Paul's ragt eine Spirale aus verbogenem Stahl hoch in den Himmel. Die Menschen sprechen immer noch von «The Shard» – der Scherbe –, obwohl das Gebäude längst nicht mehr steht. Der Name passt vielleicht heute viel besser.

Wir stehen nebeneinander und nehmen schweigend das Bild in uns auf. Es gibt nichts zu sagen. Es gibt keine Worte für das, was mit unserer Stadt geschehen ist. Irgendwo dort unten liegt ein Backsteinhaufen, der einmal Zoes Zuhause war.

Sie dreht sich zu mir um und nimmt meine Hände. Ein heftiger Adrenalinstoß jagt mir durch den Körper. Ich spüre ihn bis in die Fußsohlen. Die Luft zwischen uns knackt und knistert.

Die Lücke zwischen uns schwindet und schwindet immer noch weiter.

Unsere Lippen berühren sich. Der allerfeinste, zärtlichste Sog ihrer Lippen zieht mich zu ihr, verbindet uns. Ihre Hände wandern nach oben und streicheln meinen Hals. Der Boden, die Stadt, die Welt – alles verschwindet. Es gibt nur noch den Kuss.

Nach dieser endlos langen, endlos kurzen Umarmung, stehen wir, als sich unsere Körper lösen, immer noch an derselben Stelle. Ich schaue von neuem in ihre Augen und sehe etwas, von dem ich nie geglaubt habe, dass es für mich einmal wahr werden würde. Ich hatte nie gedacht, dass es jemals mir gelten könnte, und das Verlangen in ihrem Blick ist aufregend, überwältigend.

Wir sehen einander an, und alle Verlegenheit, alle Beschämung verliert sich. Es geht nicht mehr darum, wer sie ist und ob sie mich kennt oder um das, was wir denken und fühlen könnten, sondern wo uns diese Empfindung hintragen wird und wie schnell. Nichts spielt mehr eine Rolle, außer bald wieder mit Zoe zusammen zu sein, damit sich alles weiter entwickeln kann, was auch immer geschehen mag und danach geschehen mag und danach.

Ich weiß nicht, wie sie es geschafft hat, aber dieses Mädchen hat mich aus meinem Leben gerissen und in eine neue Welt versetzt.

DIE BASIS

Ich bin angespannt und abgelenkt, als mein MQ-9-Auf-frischungslehrgang beginnt, weil ich am selben Tag noch mein erstes Date mit dem Mädchen aus dem Kasino haben werde. Mein Ausbilder lässt sich erst mal stundenlang über Bewaffnung, Tragkraft, Regeln und Abläufe aus, doch es fällt mir schwer, mich auf seine Worte zu konzentrieren. Natürlich bin ich begeistert von der Vorstellung, endlich eine bewaffnete Drohne zu steuern, aber meine Gedanken wandern immer wieder zu dem bevorstehenden Abend. Es ist komisch, wie man wartet und wartet, dass irgendwas Aufregendes geschieht, und dann passieren auf einmal zwei wichtige Dinge gleichzeitig und hindern dich gegenseitig daran, das eine wie das andere so zu genießen, wie du es gern möchtest.

Meine Verträumtheit verliert sich erst, als ich am Simulator sitze. Es gibt so eine Zone absoluter Konzentriertheit, in die ich früher immer beim Spielen meiner Games geriet, und sobald ich jetzt vor den Bedienelementen sitze und auf dem Bildschirm Ziele aufblitzen sehe, rauscht es wieder wie ein Koffeinstoß durch meine Adern. Bei der distanzierten Kriegsführung ist die Simulation kaum von einem echten Kriegsschauplatz zu unterscheiden, und der Kick des Jagens und Tötens tilgt jeden anderen Gedanken.

Das Filmmaterial, das man in den Nachrichten sieht, zeigt nur das saubere Töten. Nur die positiven Ereignisse wandern an die Presse. Das Training enthält jedoch auch alle möglichen Faktoren für Komplikationen: Sicht, Turbulenzen, Kollateralschäden, Einschätzungen zum Zerstörungsradius, Zielidentifizierung. Und es gibt Möglichkeiten, Stress zu simulieren, um einen unter Gefechtsdruck zu setzen.

Auch wenn du eigentlich weißt, dass alles bloß eine graphische Darstellung ist, kannst du doch nicht vergessen, dass du geprüft wirst, ob du es auch in der Realität schaffen würdest. Der Stream von einer Drohne über einem realen Ziel sieht fast genauso aus, deshalb bin ich zuversichtlich, dass ich es schaffen werde, auch wenn ich nicht vergessen habe, dass außerhalb des Simulators die gleichen Pixel Menschen darstellen, die in Wirklichkeit einer tödlichen, unentrinnbaren Waffe entgegenblicken.

An dem Tag, an dem ich den Knopf drücken werde, der einen Menschen tötet, bin ich Mitglied einer neuen, auserwählten Gruppe. Manchmal erschreckt mich diese Vorstellung, manchmal gibt sie mir einen Kick. Ehrlich gesagt weiß ich nicht, was schlimmer ist. Manchmal erwische ich mich dabei, wie ich den lächerlichen Wahn unterdrücke, dass mich das Überschreiten dieser Schwelle zu einem richtigen Mann machen wird, auch wenn es mich zweifellos eher zu einem richtigen Soldaten macht.

Ich habe Träume gehabt, in denen ich auf der anderen Seite stehe, am Boden zwischen all den Flammen, der Panik, dem Staub und dem Blut. Die Träume sind schaurig stumm wie ein Film, der auf einem defekten Projektor läuft, lebendig und real und zugleich fern und unwirklich.

Ich weiß nicht, ob andere Piloten auch solche Träume haben oder ähnlich widerspenstige Visionen, die im Training nie erwähnt werden. Ich weiß nicht, ob sich die andern je ausgemalt haben, im Streifen zu leben, in den Straßen umherzulaufen, die unsere Bildschirme füllen, in den Wohnungen zu leben, die wir auf Befehl angreifen. Es scheint keine Möglichkeit zu geben, in der Basis zu diskutieren, dass die Menschen in unserem Fadenkreuz unerreichbar weit weg und gleichzeitig beunruhigend nah sind.

Trotz dieses Unbehagens im Hinterkopf, trotz der kriechenden Angst, dass irgendein Element des Trainings nicht richtig in meinem Innern verwurzelt sein könnte, ist meine Arbeit gut, meine Konzentration klar fokussiert. Ich bin überrascht, als mir mein Ausbilder sagt, die Schicht sei vorbei. Ich habe noch nie einen Tag in der Basis erlebt, der so schnell vorbeiging.

Adrenalin macht etwas Merkwürdiges mit der Zeit: Es dehnt die Sekunden und schrumpft die Stunden. Du siehst, wie der Bildschirm fast in Zeitlupe ganz ruhig den Idealpunkt für jedes Manöver sucht, und gleichzeitig vergeht ein ganzer Nachmittag in Sekundenschnelle.

Der Ausbilder kommentiert meine Leistung nicht, doch ich weiß auch so, dass ich gut war. Ich habe Talent, und ich habe das alles auf die eine oder andere Art schon mein

Lebtag getan. Es scheint, als ob ich für diesen Job geboren wäre. Ich trete aus dem Raum in dem Wissen, dass ich die Prüfung bestehen werde.

Ich presche auf meiner Maschine mit Vollgas nach Hause, dusche, rasiere mich, sprühe mich ordentlich mit Eau de Toilette ein, ziehe mich um, dann noch mal und noch mal, tupfe ein bisschen Eau de Toilette wieder vom Kinn, damit es nicht zu heftig ist, und mache mich schließlich auf zu meinem Rendezvous mit dem Mädchen.

Sobald ich die Bar in der Nähe der Basis betrete, die sie vorgeschlagen hat, merke ich, wie dumm ich gewesen bin. Es wimmelt nur so von Uniformen. Das Mädchen sitzt an der gegenüberliegenden Seite in einer Ecke, und es ist so voll, dass ich kaum zu ihr durchkomme. Das hier ist absolut kein Date oder irgendein romantisches Treffen oder auch nur eine Einladung mit dem leisesten Anklang von Exklusivität. Ich bin der Einzige, der sich umgezogen hat und Zivil trägt, was mir das Gefühl gibt, Opfer eines Streichs geworden zu sein.

Mein erster Gedanke ist, auf der Stelle umzukehren, ehe mich jemand sieht. Niemand soll wissen, dass ich hereingelegt wurde. Sie würden mich das nie vergessen lassen.

Ich mache auf dem Absatz kehrt und bevor ich mich am Ausgang durch die schwere Schwingtür schiebe, atme ich ein paarmal tief durch, um mich zu beruhigen. Meine Schuljahre haben mir ein hypersensibles Gespür für Demütigungen vermittelt. Ich sehe die Situationen kommen, bin auf schnelle Reaktionen geeicht, auf sofortige Flucht, bevor ich zur Zielscheibe werde. Manchmal muss ich mich geradezu zwingen, daran zu denken, dass das Leben weitergegangen ist und niemand mehr hinter mir her ist. Ich bin erwachsen.

Ich atme noch einmal durch und sage leise vor mich hin, dass ich nichts zu fürchten brauche. Niemand, außer vielleicht das Mädchen, wird in der Lage sein zu erkennen, warum ich mich umgezogen habe. Es gibt unzählige einleuchtende Gründe, die ich nennen könnte, falls jemand fragt. Es gibt keinen Anlass zu glauben, ich würde zur Zielscheibe von Spott und Hohn. Ich muss es nur cool angehen und mich wie jemand verhalten, der Spaß hat an Freitagabend-Drinks mit Kollegen.

Ein paar machen sich lustig über mein Eau de Toilette, aber es ist nicht wirklich ernst gemeint. Ich achte darauf, nicht rot zu werden, lache bloß, während ich mich durch den Raum in Richtung des Mädchens schiebe.

Als ich in Reichweite bin, stelle ich mich seitlich, damit sie mich nicht gleich sieht. Sie hat ein Pint in der Hand, und ich warte, bis sie nur noch einen letzten Schluck drinhat, dann schlängle ich mich durch die Menge auf sie zu.

Erst als ich direkt vor ihr stehe, schaue ich sie an und tue so, als ob ich sie gerade erst entdeckt hätte. «Hey. Wie geht's?», sage ich und treffe genau den richtigen beiläufigen Ton.

Nach einem kurzen Geplauder frage ich sie, ob sie noch ein Bier will. Sie sagt ja, und ich gehe zum Tresen. Geschafft. Doch als ich zurückkehre, haben sich ein paar Jungs um sie geschart, und auch wenn sie zwischen ihnen hindurchgreift, um ihr Glas entgegenzunehmen, gehen die anderen

nicht zur Seite, und ich stehe vor einer Wand aus Rücken –
allein.

Ich warte eine Weile, komme mir vor wie ein Idiot und
tue so, als würde ich der Unterhaltung lauschen, von der ich
kein Wort verstehe, dann trete ich den Rückzug an.

Ich bin zu enttäuscht, um mit jemand anderem zu reden,
deshalb geh ich hinaus zu den Rauchern. Ich rauche so gut
wie nie – eigentlich hasse ich das Gefühl in der Kehle und die
grausige Vorstellung von Teer, der meine Lungenwände über-
zieht –, aber manchmal ist es die einzige Möglichkeit, sich aus
einem Raum zu entfernen, wenn es nötig ist. Wie jetzt.

Ich bleibe eine Weile dort draußen, dann gehe ich auf ein
letztes Bier wieder rein, dass deutlich schneller die Kehle
hinabfließt, als ich es eigentlich beabsichtigt habe.

Nach einem weiteren wie immer enttäuschenden Abend
will ich gerade nach Hause aufbrechen, als ich auf dem Parkplatz ein paar Schritte von mir entfernt das Mädchen stehen
sehe, wie sie sich von ein paar Freunden verabschiedet.

Sie gehen, ich trete auf sie zu und bingo! – endlich nur
sie und ich.

Wir reden eine Weile darüber, was für ein toller Abend
das war und wie nett all die Typen von der Basis sind, danach erzählt sie mir eine Geschichte, der ich nicht richtig
folgen kann, über jemanden, dessen Namen ich nicht mit-
kriege, doch ich nicke, schmunzle und lache an den ver-
meintlich richtigen Stellen. Dann ergreife ich die Chance
und biete ihr an, sie mit dem Motorrad nach Hause zu fahren. Ich füge bewusst das Wort Motorrad ein und zeige auf
meine Kawasaki.

Sie überlegt einen Moment, wirkt zögerlich, aber gleichzeitig verlockt, was genau das ist, worauf ich gehofft habe.

«Hast du nicht zu viel getrunken?», fragt sie.

«Nein», antworte ich total überzeugt, obwohl es wahrscheinlich nicht stimmt. «Ich bin Pilot. Ich fliege eine Fünf-Millionen-Dollar-Drohne. Und du glaubst, ich hab das Teil da nicht im Griff?»

«Äh...»

Ich bin zu weit gegangen. Das war anmaßend.

«Bist du schon mal mitgefahren?»

Sie schüttelt den Kopf.

«Musst du unbedingt ausprobieren. Ist echt cool. Wo wohnst du?»

«Genau auf der anderen Seite der Stadt.»

«Kein Problem. Der Trip wird dir gefallen, versprochen.»

«Wenn ich nicht getrunken hätte, würde ich niemals ja sagen», antwortet sie, als ich ihr den zweiten Helm reiche, der noch völlig unbenutzt ist.

Ich steige auf die Maschine, lasse den Motor aufheulen, und sie steigt hinter mir auf.

«Bereit?», frage ich.

«Weiß nicht», antwortet sie.

Ich lasse die Maschine erneut aufheulen. Der Motor unter uns faucht. «Ich weiß immer noch nicht, wie du eigentlich heißt.»

«Victoria», sagt sie, die Stimme vom Schaumstoff des Helms gedämpft.

Victoria, sage ich die vier Silben im Kopf vor mich hin. *Victoria.*

Ich habe nicht verstanden, was sie danach sagt, aber ich nehme an, dass sie die Frage zurückgibt.

«Alan», antworte ich, lasse die Kupplung kommen, und los geht's.

Als wir vom Parkplatz dröhnen, singt mein Herz. Ich habe das Gefühl, dieser Moment ist die logische Konsequenz von allem, was ich je in meinem Leben getan habe: Ich brause auf einem Motorrad davon, weg von den Kameraden, Kollegen, Soldaten, Verteidigern der Nation, mit Bier im Blut, Geld in der Tasche und einem Mädchen auf dem Sozius, das seine Arme um meine Hüften schlingt.

Wenn einer von denen, die Loser zu mir gesagt haben, mich so sehen könnte, würde es ihm die Sprache verschlagen. Gibt es jemanden, der diesen Moment nicht gern erleben würde? Kann das Leben schöner sein als in dieser Sekunde?

Während wir über den Asphalt fliegen, Bäume an uns vorbeijagen, die Mondsichel aus dem schwarzen Himmel zu uns herablächelt und die Wohnung des Mädchens immer näher kommt, frage ich mich, ob die Hoffnung, es könnte tatsächlich noch schöner werden, hieße, das Schicksal herauszufordern.

DIE STADT

Gerade als ich zur Haustür hereinkomme, piepst mein Handy. Noch bevor ich nachgeschaut habe, weiß ich, dass es eine Nachricht von Zoe ist. Ich zerre das Handy aus meiner Tasche, lese, während ich ins Haus trete, und lasse mich aufs Sofa fallen. «*Hast du was gefunden? Musste den ganzen Tag dran denken. Ich will mit dir zusammen sein. Z xxxx*»

Ich lese die Nachricht ein zweites Mal, dann noch mal und noch mal, immer wieder, lächle vor mich hin und überlege mir gerade eine Antwort, als plötzlich Dads harsche Stimme in meine Gedanken schneidet.

«Wo bist du gewesen?», bellt er.

«Nirgends.»

«Hier», sagt er und hält mir ein gefaltetes Blatt Papier entgegen. «Gib mir dein Handy.»

Ich schreibe schnell eine Antwort an Zoe.

«GIB MIR DEIN HANDY.»

«Ich muss noch was machen.»

Er schnappt sich mit einem gezielten Griff mein Handy und wirft mir ein Blatt Papier in den Schoß. Dad war in letzter Zeit ziemlich gereizt, immer schwankend zwischen Trübsinn und Wutausbrüchen, ohne dass man sein Verhalten vorhersagen konnte.

Ich springe auf, lasse dabei seine Nachricht von meinem Oberschenkel rutschen. «ICH WAR NOCH NICHT FERTIG!»

«Womit? Deiner Freundin zu schreiben?», sagt er mit einem sarkastischen Schnauben, als wenn das die trivialste Beschäftigung wäre, die man sich vorstellen kann.

«Ja, genau.»

«Heb den Zettel auf. Die Nachricht ist dringend.»

«Gib mir mein Handy», sage ich. «*Das* ist dringend.»

«Was?»

«Gib mir mein Handy zurück.»

«Heb den Zettel auf! Ich meine es ernst! Weißt du, wie wichtig das hier ist?»

«Es ist immer wichtig.»

«Genau! Es ist immer wichtig! Es geht um Leben und Tod! Glaubst du, das ist ein Spiel?»

Ich beuge mich nicht hinunter zu dem Blatt, aber ich versuche auch nicht, mir mein Handy zurückzuschnappen. Wir starren uns reglos an.

«Und was, wenn ich nicht will?», frage ich. «Was, wenn ich die Schnauze voll hab?»

Es ist noch nicht lange her, dass ich das Nachrichtenüberbringen für meinen Dad aufregend fand, wie eine Einführung in die Erwachsenenwelt, doch seit ich Zoe kenne, ist es anders. Der Drang, jede Sekunde mit ihr zu verbringen, ist so stark, dass mir alles, was dem im Weg steht, lästig vorkommt. Jeder

Tag in der Schule scheint endlos lang, dafür sind die Abende und die Wochenenden immer viel zu kurz. Ich habe ihr ein altes billiges Handy besorgt, damit wir einander schreiben können. Mich ständig mit ihr auszutauschen kommt mir inzwischen so lebensnotwendig vor, wie zu atmen.

Jede Sekunde, die wir zusammen verbringen können, halten wir uns aneinander fest, als ob Getrenntsein das Ende bedeuten würde. An manchen Tagen bin ich, nachdem ich die Nachrichten abgeliefert hatte, einige Kilometer zusätzlich gelaufen, nur um Zoe noch einen Gutenachtkuss zu geben.

Eine Stunde mit ihr scheint in Minutenschnelle vorbei. Wir reden über alles und nichts. Nur bei ihr fühle ich mich vollkommen lebendig, und mit jedem Mal, das wir uns treffen, wächst unser Verlangen. Es ist wie ein unstillbarer Hunger. Je mehr du isst, desto hungriger fühlst du dich. Und die Unmöglichkeit, jemals nur für uns zu sein, macht uns fast wahnsinnig.

Es war Zoes Idee, dass ich ganz in den Süden des Streifens fahre, um dort nach einem Versteck zu suchen. Und so bin ich heute den Nachmittag über in dem Geister-Distrikt herumgefahren und habe zerstörte Häuser und verlassene Straßen erkundet.

Weit hinten, in der Nähe der zerstörten Brixton Tunnel, entdecke ich einen verlassenen Ort. Bei jedem Luftangriff wird diese Gegend immer als erste bombardiert. Wenn die Tunnel getroffen werden, wartet das Corps auf das Ende der Angriffe und gräbt danach neue. Ganze Wohnblocks sind nur noch Schutt und Asche, und keiner der Geflohenen kehrt zurück, denn hier will niemand mehr leben.

Die Nachricht, die ich gerade angefangen hatte zu schreiben, lautete: *YES! Hab den perfekten Ort gefunden. Dort können wir allein sein ...*

Ich wollte das Gebäude beschreiben, ihr erzählen, wie aufgeregt ich war bei der Vorstellung, mit ihr dort hinzukommen, doch nun, ehe ich überhaupt antworten konnte, hat Dad mir mein Handy weggeschnappt.

«Du sagst mir, du hast die Schnauze voll?», fragt er, packt meinen Arm und starrt mich mit einer lodernden Verachtung in den Augen an.

Ich zucke nur vorsichtig mit den Schultern, weil ich merke, dass mein Dad kurz davor ist, in eine unkontrollierbare Rage zu geraten.

«Nach oben», faucht er und beugt sich hinab, um den Zettel vom Teppich aufzuheben, dann schiebt er mich Richtung Tür, weg von meiner Mutter und meinen Schwestern, die am Esstisch sitzen und das Leiterspiel spielen.

Als ich aus dem Zimmer gehe, sehe ich Mums Blick. Sie ist immer so sehr darauf bedacht, vor den Zwillingen eine Fassade der Normalität und guten Laune zu wahren, dass man schwer deuten kann, was sie wirklich denkt, doch jetzt erkenne ich in ihrem Gesicht den angespannten Ausdruck von Sorge und Angst. Ich habe das Gefühl, dass sie etwas weiß, wovon mir niemand etwas gesagt hat.

Ich gehe die Treppe hinauf und höre Dads schwere, ungleichmäßige Schritte direkt hinter mir. Er nickt in die Richtung des Schlafzimmers und sagt, ich soll mich aufs Bett setzen.

Eine Weile bleibt er stumm vor mir stehen, dann erklärt

er mit leiser Stimme, die vor Anspannung zittert: «Ich brauche dich. Du *musst* diese Nachricht überbringen, und es muss *jetzt* sein. Das ist keine Bitte. Dies ist nicht der richtige Augenblick, mich hängenzulassen.»

«Ich tu's», antworte ich. «Aber ich will mein Handy.»

«Du kannst es nicht haben.»

«Wieso nicht?»

«Das hab ich dir doch erklärt. Handys sind unsicher.»

«Ich schalt es ja immer aus, wenn ich meine Botengänge mache. Oder lass es zu Hause.»

«Das reicht nicht mehr.»

«Wieso?»

«Es hat sich etwas verändert.»

«Was?»

Dad bricht die Rückseite meines Handys auf, nimmt den Akku heraus und steckt die Einzelteile in seine Jackentasche.

«Tut mir leid. Es muss sein.»

«Ich war gerade dabei, eine Nachricht zu schreiben!»

«Tut mir leid.»

«Ich brauch es!»

«Du kannst es aber nicht haben.»

«*Wieso* nicht?»

«Ich habe etwas erfahren.»

«Was denn?»

«Vielleicht stimmt es ja nicht.»

«Worum geht's?»

«Man hat mir gesagt, ich steh auf einer Liste.»

«Was für eine Liste?»

«Die Drohnen. Ich bin zur Zielscheibe geworden.»

«Was für eine Zielscheibe?»

«Sie wissen, ich ... gehöre dazu. Die Position, die ich habe, macht mich zum Ziel.»

«Soll das heißen, sie werden dich töten?» In meiner Kehle bildet sich Schleim, und für einen Moment ist mir, als müsste ich mich erbrechen. Ein Bild von der Explosion, die meinem Vater das Bein zertrümmerte, blitzt in mir auf. Ich erinnere mich an das Gefühl, wie ich mich zu Boden warf, an den Geschmack von Asche und Staub im Mund.

«Ich sage nur, dass sie mich genauer im Visier haben, als ich dachte. Ich darf kein Risiko eingehen.»

«Welches Risiko?»

«Raketen können Handy-Signale nutzen, um ein Ziel zu erfassen.»

«Aber du benutzt doch gar keins.»

«Nein. Genau deshalb.»

«Und wieso nimmst du dann meins?»

«Um dich zu schützen.»

«Du hast gesagt, *du* stehst auf der Liste. Nicht *ich*.» Mein Blick verschwimmt, mein Kopf wird auf einmal ganz leicht.

Dad setzt sich aufs Bett und legt einen Arm um meine Schultern. «Nein, du nicht», sagt er.

Ich stehe auf und schaue zu ihm hinab. Am Hinterkopf ist ein kreisförmiges Stück Schädel zu sehen. Er nimmt seine Brille ab und wischt sie am Hemd sauber. Ich habe das Gefühl, er tut es, um mich nicht ansehen zu müssen.

Ich bemerke die Tränensäcke unter seinen Augen. Die

Haut ist dunkel und rau. In den letzten Monaten scheint er doppelt so schnell gealtert wie früher.

Er setzt die Brille wieder auf. «Sie machen Fehler», sagt er mit fast flüsternder Stimme. «Und sie versuchen einen über Familienmitglieder zu finden. Es sind nicht nur Kämpfer, die sterben, und es sind auch nicht nur Erwachsene. Wir müssen vorsichtiger sein. Das Wichtigste ist, dass dir nichts passiert.»

«Aber du schickst mich weiter raus, um Nachrichten zu überbringen?»

«Ich brauche dich für diese eine. Sie ist dringend. Wenn du danach aussteigen willst, finde ich schon jemand andern.»

«Ich weiß nicht», sage ich. «Ich will ja helfen.»

«Du bist ein guter Junge», antwortet er mit zitternder Stimme. «Aber dir darf nichts passieren.»

Er steht auf und drückt mich auf eine komische Weise an sich. Meine Arme hängen an mir herab, und ich spüre das Heben und Senken seiner Brust an meiner. Eigentlich würde ich ihn gern trösten, ihm etwas sagen, das seine Verzweiflung lindern könnte, doch der Drang, von ihm loszukommen und aus dem Haus zu laufen, ist größer.

«Okay», sage ich und winde mich aus seinen Armen. «Gib mir die Nachricht.»

«Tut mir leid, Lex», antwortet er. «Es tut mir wirklich furchtbar leid. Ich hätte dich da nicht mit reinziehen sollen. Aber ich weiß, wie schwer es hier ist, ein Ziel zu finden, deshalb dachte ich, es ist wichtig, dass du raus in das richtige Leben kommst, an irgendwas teilnimmst. Du bist kein Kind mehr, du musst deinen Platz in etwas Größerem finden als bloß in der Familie. Ich dachte, ich könnte dich schützen.»

«Du dachtest, oder du denkst?»

«Beides», antwortet er nach kurzem Nachdenken. «Aber niemand ist mehr in Sicherheit. Die Lage spitzt sich zu. Die Waffenruhe wird brechen.»

«Sie werden angreifen?»

«So geht das Gerücht. Das Corps muss bereit sein zurückzuschlagen.»

«Ein Gerücht?»

«Mehr als ein Gerücht. Wir haben jemanden. Draußen, auf der anderen Seite.»

«Noch ein Angriff?»

«Scheint so.»

«Wann?»

«Bald.»

Zu schlucken wäre, wie einen Eimer Beton zu trinken. Der letzte Angriff ist ein paar Jahre her, doch das Entsetzen und die Angst suchen mich immer noch heim: wie der Himmel aufreißt und Kampfflugzeuge herausstürzen, wie unser Haus unter dem Raketenbeschuss bebt, als würde es jeden Moment auseinanderbrechen; der brachiale, unerträgliche Lärm der Explosionen nah und fern; jeder einzelne Luftangriff, Nacht um Nacht, eine Ewigkeit lang die absolute grausame Hölle.

Dad spricht weiter, doch seine Stimme klingt wie ein gedämpftes Brummen, wie die Geräusche eines Fernsehers durch eine Wand.

«Was hast du gesagt?», frage ich, als ich merke, dass er auf eine Antwort wartet.

«Wann also wirst du sie mir vorstellen?», sagt er mit falscher Heiterkeit in der Stimme.

«Wen meinst du?»

«Na, Das Mädchen, dem du andauernd Nachrichten schickst.»

Es fühlt sich absurd an, ausgerechnet jetzt das Thema zu wechseln, nachdem er gerade so eine fatale Botschaft ausgesprochen hat. Doch wenn man eine so erdrückende Katastrophe vermittelt, gibt es danach einfach keine Worte mehr, die nicht lächerlich wirken. Vielleicht ist es ja die einzige Möglichkeit, mit der Vorstellung fertigzuwerden, dass du die Tatsache akzeptierst: Alles andere, was man sagen könnte, egal was, wird einfach immer wie ein Witz klingen.

«Oh!», antworte ich und versuche, meine Gedanken auf seine Frage zu richten. «Bald, denke ich.»

«Ist sie nett?»

Ich nicke.

«Ist sie schön?»

Er hebt eine Augenbraue zur lächerlichen Parodie einer unbeschwerten, beinah lüsternen Kumpanei, und der Ansatz eines Lächelns zuckt in den Mundwinkeln.

«Ja.»

«Passt du auf?»

Ich werde rot. Ich glaube, ich weiß, was er meint, und ich will diese Unterhaltung nicht, nicht mit ihm, nicht ausgerechnet hier im Schlafzimmer meiner Eltern. Nirgendwo, ehrlich gesagt.

«Ich geh jetzt», sage ich.

Er streckt mir die Nachricht entgegen, doch als ich nach ihr greife, lässt er sie nicht gleich los. Während wir beide das gefaltete Blatt festhalten, fixiert er mich mit einem intensiven Blick und sagt: «Danke. Ich kann dir doch vertrauen, oder? Dabei und bei allem andern?»

Alle Lüsternheit ist aus seiner Stimme verschwunden. Die Bedeutung seiner Frage fährt eiskalt durch meinen Körper. Er bittet mich, auf den Rest der Familie aufzupassen, wenn er nicht mehr da ist. Ich kann die Vorstellung kaum realisieren, geschweige denn antworten.

Ich ziehe ihm die Nachricht aus der Hand und gehe zur Tür.

«Es gibt noch etwas», sagt er, gerade als ich das Zimmer verlassen will.

«Was?»

Er wartet, bis ich mich umgedreht habe und in sein Gesicht sehe, ehe er spricht. «Ich werde eine Weile verschwinden müssen. Es gibt noch ein paar Dinge zu regeln, dann bin ich weg. Es wird vielleicht schwer sein, mich zu erreichen.»

Ich nicke.

«Ich komme zu–», sagt er, doch seine Stimme überschlägt sich, und er spricht das Wort nicht zu Ende.

Ich wirble herum, schlage mit einem Knöchel gegen den Türrahmen, renne die Treppe hinunter und jage hinaus, ohne ein Wort zu meiner Mutter.

Eine frische Frühabendluft erfüllt meine Lunge. Es ist die Zeit, in der der Himmel noch blau ist, aber die Dunkelheit schon aus dem Boden heraufkriecht.

Der tote Briefkasten ist einfach zu finden, nicht allzu weit weg, und ich eile mit der Antwort nach Hause, während ich die ganze Zeit nur überlege, wie ich schnellstmöglich zu Zoe komme, um ihr von dem Haus in Brixton zu erzählen und ihr zu sagen, dass ich kein Handy mehr habe. Die Vorstellung, dass sie sich wahrscheinlich schon fragt, wieso ich aufgehört habe, auf ihre Nachrichten zu antworten, und dass sie womöglich an mir zweifelt, sitzt wie ein Knoten im Magen.

Dad saugt die Botschaft, die ich ihm bringe, auf, als ob sein Leben davon abhinge, was vielleicht wirklich der Fall ist.

Ich wünschte, er hätte mir nichts von der Liste oder dem bevorstehenden Angriff erzählt. Ich wünschte, ich wüsste von alldem nichts. Es ist, als würde ihn eine unwiderstehliche Kraft dem Tod entgegenreißen, ein Strick um seine Fußgelenke, der sich jeden Moment an mir verfangen könnte.

Wenn er wirklich auf dieser Liste steht, will ich nicht in seiner Nähe sein, und gleichzeitig fürchte ich seinen Abschied, von dem ich weiß, dass er bevorsteht und womöglich endgültig ist.

Ich bin drauf und dran, ihm die Hand auf seine Schulter zu legen, aber um das zu tun, müsste ich etwas zu sagen wissen. Doch mir fallen die richtigen Worte nicht ein, deshalb frage ich bloß, ob ich gehen kann.

Er schaut auf, sein Blick ist verschwommen, konzentriert auf irgendeinen starken, persönlichen Gedanken, dann nickt er kurz.

Ich eile aus dem Haus, schließe mein Fahrrad auf und trample mit Highspeed zu Zoes Ecke.

Ich komme gerade noch rechtzeitig, sie ist eben fertig. Die Abenddämmerung färbt den Himmel schon rosa. Ich renne auf sie zu, und wir fallen uns in die Arme und versinken in einem langen und tiefen Kuss.

Als ich mich aus der Umarmung löse, spüre ich, dass uns jemand beobachtet. Es ist Craig, der Typ, der die Ecke beherrscht. Er steht auf dem Mittelstreifen, ohne sich zu rühren, nur die Kiefermuskeln zucken unter der Haut. Wenn der Verkehr läuft, taucht er immer wieder kurz zwischen den Autos auf, ohne sich zu rühren. Sein Blick ist starr und bedrohlich.

«Und, hast du was gefunden?», fragt Zoe. «Wieso hast du mir keine Nachricht geschickt?»

«Dad hat mir das Handy weggenommen. Aber hör zu – ich hab einen Ort.»

«Im Süden?»

«Ja. Ist ein ausgebombtes Haus, halb zerstört, aber es steht noch. Und im ersten Stock nach hinten raus, ganz versteckt, gibt es noch ein komplett intaktes Zimmer.»

«Ein Zimmer?»

«Ja. Vier Wände. Decke. Da steht sogar ein Bett drin.»

Sie zieht eine Augenbraue hoch. Ein Lächeln macht sich auf ihrem Gesicht breit, genau wie auf meinem.

«Willst du hin?», frage ich.

Sie lässt die Hände an meine Hüfte sinken, küsst meinen Hals, küsst mich auf den Mund, und diese lebhaften grünen Augen strahlen mich an, so dicht vor mir, dass ich sie fast nicht mehr scharf sehen kann, während sie mir ins Gesicht haucht: «Ja.»

Das Wort auf ihren Lippen ist der schönste Laut, den ich je gehört habe.

«Morgen?», frage ich.

«Bald», antwortet sie, zieht mich zu sich heran, und ihre Finger schlängeln sich durch meine Haare.

«Wie bald?»

Sie legt ihren Kopf in den Nacken und sieht mir direkt in die Augen, dann nickt sie ganz leicht und zwinkert mir langsam und wahnsinnig sexy zu. «Bald.»

«Ich kann an nichts anderes mehr denken», sage ich nach einer Pause, die vielleicht fünf Sekunden, vielleicht auch fünf Minuten dauert. «Ich will dich.»

«Ich will dich auch», antwortet sie und drückt unsere eng umschlungenen Körper noch fester zusammen.

«Ja?»

«Natürlich. Spürst du das nicht?»

Ich spür es. Es brennt ein wildes Feuer dort, wo sich unsere Körper berühren – ein himmlisches, taumelndes Gefühl, und gleichzeitig ist es, wie die ganze Zeit irgendwie am Rande des Abgrunds zu stehen.

«Wann?», frage ich.

«Ich muss drüber nachdenken.»

«Was gibt es da nachzudenken?»

Sie lächelt, küsst mich erneut, dass mir alle Knochen in meinem Körper weich werden.

«Bring mich nach Hause», sagt sie. «Meine Mutter will dich kennenlernen.»

Sie zieht mich von der Ecke weg und führt mich an der Hand durch die dichte Menschenmenge auf der Euston Road.

«Jetzt?»

«Willst du nicht?»

«Doch, aber ...»

«Aber was?»

Ich weiß nicht genau, wieso ich zögere. Kann sein, dass ich überrascht bin und unvorbereitet, oder vielleicht spüre ich auch, dass das so eine Art Test ist. Brauche ich eine elterliche Zustimmung? Und wie muss ich mich verhalten, damit ich sie bekomme? Ich habe keine Ahnung. Klar ist nur, die sicherste Art, den Test nicht zu bestehen, ist, mich zu weigern mitzukommen.

«Nichts. Super», antworte ich. «Ich würde sie auch gern kennenlernen.»

«Gut», sagt Zoe in einem Tonfall, als wollte sie mich beglückwünschen, dass ich die korrekte, taktvolle Lüge gewählt habe.

Wir gehen weiter und landen bald gegenüber dem riesigen Steinhügel, der einst die British Library war und jetzt Zoes Zuhause ist. Als wir am Bordstein stehen und warten, dass wir uns durch den stockenden Verkehr und die stinkenden Auspuffgase schlängeln können, sieht sie mich mit einem durchdringenden, melancholischen Blick an und sagt: «Bist du sicher, dass du mit reinkommen willst? Ist ein bizarrer Ort.»

Etwas an der Ernsthaftigkeit ihres Tons lässt mich überlegen, ob der Test, dem ich mich gleich unterziehen soll, gar nicht das ist, was ich mir ausgemalt habe. In all den Stunden, die wir geredet haben, war Zoe stets ausweichend, was ihre Mutter anging, und hat mir nie etwas über ihr Zuhause erzählt. Vielleicht geht es hier gar nicht darum, was ihre Familie über mich denkt, sondern was ich über sie denke.

«Ich habe früher in einem Haus gewohnt. Einem schönen Haus. Das musst du immer bedenken», sagt sie.

«Ich weiß. Es spielt für mich keine Rolle, wo du wohnst.»

«Das sagst du *jetzt* …»

«Wenn du nicht willst, dass ich es …»

«Komm einfach. Hör auf zu reden und komm.»

Sie nimmt meine Hand und führt mich über die Straße, danach über das Trümmergrundstück der Bibliothek und an der überall von Granatsplittern getroffenen Statue eines sitzenden armlosen Mannes vorbei, der nach vorn gebeugt starr zu Boden schaut. Ein ausgetretener Pfad windet sich über die gewellten Steindünen und hinab zu einer bodentiefen Luke, die einmal ein Notausgang gewesen sein mag. Ohne ein Wort zu sagen, bückt sich Zoe und schlüpft hindurch. Ich folge ihr dicht auf den Fersen.

Innen kommt das einzige Licht von einer nackten Birne. Ein paar Meter weiter hängt eine zweite und noch ein paar Meter weiter die nächste. Jede wirft ein Stück Helligkeit in einen dunklen, geraden Gang aus nacktem Beton.

Zoe bleibt stehen, dreht sich um, schiebt eine Haarsträhne hinters Ohr und fragt, ob ich okay bin. Ich starre zurück und sehe ihr Gesicht, die von Sorgenfalten gekräuselte Stirn und die nur ganz leicht geöffneten Lippen. Ein wieder aufwallendes Verlangen nach ihr lässt mich schweigen.

«Okay?», fragt sie noch einmal.

Ich nicke.

Wir kommen zu einer Treppe aus wenig stabil wirkendem Aluminium, die unter unseren Füßen knarzt und schwankt, als wir an einer Reihe nummerierter Türen vorbei nach unten steigen: -1, -2, -3 ...

Bei minus sieben stößt sie die schwere Tür mit der Schulter auf, und wir treten in einen Raum, der gleichzeitig riesig und eng wirkt. Die Decke hängt tief, und als wir an der Wand entlanglaufen, kommen wir an Reihen um Reihen von Bücherstapeln vorbei mit schmalen Bodenstreifen dazwischen, in denen sich jeweils eine Familie zusammendrängt.

Niemand scheint zu sprechen. Niemand scheint sich zu bewegen oder auch nur zu stehen. Die Menschen hocken, sitzen oder liegen auf dem Boden. Hier und da hängen Laken oder Handtücher als notdürftige Trennwände. Es gibt noch sechs weitere Stockwerke über uns. Eine riesige, endlose Bibliothek der Vertreibung und der Teilnahmslosigkeit.

Die düstere feuchte Luft hat alle Verzweiflung aufgesogen wie ein Schwamm. Der Geruch nach Schimmel, Körpergerüchen und zu lange gekochtem Gemüse sickert schwer in meine Lunge. Ich höre das beharrliche schrille Schreien eines Babys. Von irgendwo anders her brüllt eine Frau: «RUHE! RUHE! RUHE!», und schweigt dann. Irgendwo klopft etwas, Metall auf Metall, ein blechernes Scheppern im Sekundenabstand. Eine Mischung aus Stehlampen und Neonröhren sprenkelt den Raum mit ungleichen Flecken aus Licht und Dunkel. In den finstersten Ecken tragen die Leute Stirnlampen.

Ein Mann mittleren Alters mit behaarten Armen und Schultern in einer weißen ärmellosen Weste lehnt ein Stück vor uns an der Wand und blockiert halb den Gang. Als wir näher kommen, starrt er Zoe mit lüsternem Blick an und taxiert sie von oben bis unten. Sein vorstehender Wanst zwingt sie, sich seitlich an ihm vorbeizuschieben. Er grinst, streckt die Zunge heraus und fasst sich in den Schritt.

Zoe ignoriert ihn und geht weiter. Ich erstarre, will reagieren, sie verteidigen, doch er glotzt mich nur an, und sein wuchtiger Körper spannt sich. Er wirkt bereit zum Kampf. Ich öffne den Mund, will etwas sagen, doch dann erkenne ich schemenhaft, wie Zoe weiter vorn um eine Ecke biegt und aus meinem Blick verschwindet. Sie hat nicht auf mich gewartet.

Ich habe nicht das Gefühl, dass ich ihr in dieser schweren, beklemmenden Atmosphäre hinterherrufen kann.

Ich dränge mich an dem Mann vorbei, der nach altem Schweiß stinkt, und versuche Zoe einzuholen. Die Münzen in meiner Tasche klimpern beim Laufen unerwartet laut in der schweren, erstickenden Luft der Bibliotheksröhren.

Mein Herz pocht von einer unbestimmten Panik, als ich um die Ecke biege, aber Zoe ist da, wartet ganz ruhig.

«Lass dich nicht provozieren», sagt sie. «Kein Blickkontakt. Geh einfach weiter.»

«Okay.»

Gerade als sie sagt, ich soll dicht hinter ihr bleiben, und wir mit schnellen Schritten weiterlaufen, weht mir ein widerlicher süßlicher Geruch nach gekochten Möhren entgegen.

Zoe schlängelt sich rechts und links zwischen den Stapeln hindurch, verschwindet nach jedem Abzweig kurz aus meinem Sichtfeld und taucht wieder auf. Schließlich bleibt sie stehen, sieht mit verschränkten Armen in meine Richtung und wartet.

«Hier ist es», sagt sie.

Ich nicke, aber sie rührt sich nicht. Ihr Ausdruck wirkt, als würde sie nach einer Reaktion in meinem Gesicht suchen. Ich gebe mir Mühe, mir nichts anmerken zu lassen, versuche vor ihr zu verbergen, dass die Menschen in meinen Augen hier leben wie in einem Ameisenhaufen.

Sie nimmt meine Hand und führt mich in das seltsamste Zuhause, das ich je gesehen habe. Ein Gang, schmaler als eine Armlänge und ein bisschen kürzer als ein Bus, scheint alles zu sein, was ihrer Familie zugewiesen wurde. Am hinteren Ende liegen vier zusammengerollte Schlafsäcke gestapelt. Ihre Mutter sitzt auf einem niedrigen Holzschemel und hält die erhobenen Arme eines Babys in Windeln, das auf wackligen Beinen hin und her schwankt.

Ein kleiner Junge mit papierweißer Haut und wilden, strähnigen Haaren sitzt dicht dabei, scheinbar auf ein paar Spielzeugautos konzentriert, doch als er Zoe sieht, springt er auf und rennt ihr entgegen.

Zoe hebt ihn hoch und küsst ihn am Hals, dann drückt sie schnüffelnd die Nase in seine Haut und grunzt wie ein Schwein. «Ich fress dich auf!», sagt sie. «Ich fress dich auf, in einem Stück!»

Er quiekt vor Freude und bettelt, dass sie aufhören soll, doch sobald sie ihn runterlässt, sagt er: «Noch mal! Noch mal!»

Während Zoe mit ihrem Bruder balgt und ihn in die Luft wirft, tritt ihre Mutter, das Baby auf die Hüfte gestützt, auf mich zu, und streicht mit der freien Hand ihre Haare aus dem Gesicht.

«Du bist also Lex», sagt sie, und ihr Mund zieht sich zu dem Versuch eines Lächelns auseinander, auch wenn ihre Augen blass, erschöpft und abgestumpft wirken. «Schön, dich kennenzulernen. Ich habe schon so viel von dir gehört.»

«Ich ... äh ... freut mich auch, Sie kennenzulernen.»

«Das hier ist mein schönes Zuhause», sagt Zoe.

«Das ist kein Zuhause», blafft ihre Mutter. «Das hier ist nicht unser Zuhause.»

Zoe wirft mir einen Blick zu, der sagt, ich soll nicht drauf eingehen.

Nach einem verlegenen Schweigen fragt Zoes Mum, ob ich einen Becher Tee möchte. Ich möchte eigentlich nicht, sage aber trotzdem ja, weil es unhöflich wäre abzulehnen.

Sie bereitet ihn in einem kleinen Kessel, der eingezwängt auf einem niedrigen Regal steht, und schöpft dazu mit einer Plastikkelle Wasser aus einem Eimer.

Während das Wasser kocht, fragt sie uns, wo wir gewesen sind, wie das Wetter ist und ob es draußen irgendwelche Neuigkeiten gibt. Nach kurzer Zeit merke ich, dass sie anfängt, sich zu wiederholen. Immer wieder die gleichen Fragen, mit den genau gleichen Worten und der identischen Betonung.

Ich schaue verstohlen zu Zoe. Ihr leises Nicken bedeutet wohl: *Ja, es ist, wie es ist. Das ist meine Familie.*

Wir schlürfen Tee.

Wir reden uns durch ein paar weitere Schlingen der immer gleichen Fragen.

Zoes Mutter lässt nicht zu, dass sich ein Schweigen über uns senkt. Und dann, ganz abrupt, doch. Sie verstummt und starrt lange in ihren leeren Becher, ohne auch nur einen Muskel zu rühren, gerade so, als ob sie vergessen hätte, dass ich da bin. Ich habe noch nie ein Gesicht gesehen, das so müde wirkte.

Als sie schließlich den Kopf hebt, scheint sie verändert, so als ob sie mich zum ersten Mal sähe. Und da erkenne ich, dass ihre Augen, auch wenn sie wässrig, trüb und blutunterlaufen sind, doch die gleichen wie Zoes sind. Mir läuft es kalt den Rücken runter.

«Ich muss dich etwas fragen», sagt sie mit leiserer, schärferer Stimme als vorher.

«Ja?»

«Zoe hat mir von deinem Vater erzählt.»

«Was denn erzählt?»

«Sie sagt, er sei ein wichtiger Mann.»

Mein Blick fliegt hinüber zu Zoe. Sie wirkt verlegen.

«Mum!», sagt sie.

«Kann er uns helfen? Wir stehen zwar auf der Liste für ein neues Zuhause, aber weit unten. Ganz weit unten.»

«Mum!»

«Ich frag ja nur!»

Zoe schüttelt ganz leicht mit dem Kopf. Jeder weiß, dass die Liste für ein neues Zuhause bedeutungslos ist. Es kommen keine Baumaterialien durch die Blockade. Nichts wird gebaut, niemand bekommt eine neue Wohnung, und mein Vater hat sowieso keinen Einfluss auf diese Liste.

Ich denke an die wiederkehrenden Fragen, die gespenstische Leere in den Augen der Frau, den Mantel der Verzweiflung, der über ihrem beengten Wohnbereich liegt, und mir kommt der Verdacht, dass sie so gut wie nie nach oben ans Tageslicht geht, dass ihre ganze Lebenswelt dieser enge, erstickende Kerker ist.

Ich könnte ehrlich zu ihr sein oder ihr den Schimmer einer falschen Hoffnung geben. Zoes Gesicht wirkt angespannt und nervös, zeigt aber keinen Hinweis, wie ich reagieren soll.

Ich räuspere mich, presse die Hände zusammen und sage: «Ich werde ihn fragen. Vielleicht kann er ja helfen.»

Sofort füllen sich ihre Augen mit Tränen.

«Danke», antwortet sie, kaum in der Lage, die Worte herauszubringen. «Danke dir vielmals. Vielmals.»

«Er muss jetzt gehen», sagt Zoe. «Er kann nicht bleiben.»

«Okay. Natürlich. Schön, dich kennengelernt zu haben. Wunderbar. Ich hoffe, du kommst wieder. Wirklich. Wenn ich gewusst hätte, dass du kommst ...»

«Es war sehr schön. Gern geschehen», sage ich, schaue zur Seite und merke, dass Zoe bereits gegangen ist.

Ich folge ihr zwischen den Stapeln hindurch und die Metalltreppe hoch, renne fast, um sie einzuholen. Sie verlangsamt nicht den Schritt, als wir wieder nach oben auf die Straße gelangen, in die kühle, lärmerfüllte Luft der Easton Road, die jetzt von schwachen, flackernden Straßenlampen und dem langsamen Vorbeiziehen der Autoscheinwerfer erhellt wird. Ich habe keine Ahnung, ob sie vor mir wegläuft, vor ihrem Zuhause oder vor ihrer Mutter.

Erst als ich einen Spurt hinlege, sie überhole und ihr in den Weg trete, bleibt sie endlich stehen.

«Bist du sauer?», frage ich und versuche, gegen eine sich nähernde Polizeisirene anzukommen.

Sie scheint außer Atem und sieht mich nicht an. Ich weiß nicht, was ich weiter sagen soll, deshalb warte ich auf ihre Antwort und schaue zu, wie zwei Kinder über die Trümmer der eingestürzten Bibliothek hinweglaufen und ein verrostetes Stück Wellblech hinter sich herziehen.

Sie sagt immer noch nichts.

«Was hab ich getan?», frage ich. «Ich hab nur versucht ... ich kann nicht helfen ... mein Dad auch nicht, aber ich hab gedacht, sie braucht ein bisschen –»

«Du hast das Richtige gesagt. Danke.»

Sie hebt nicht den Blick.

«Findest du?»

«Ja. Ich hatte keine Ahnung, dass sie das fragen würde. Nicht deshalb hab ich dich hergebracht.»

«Ich weiß.»

«Ich dachte nur, du solltest es sehen. Aber –»

«Aber was?»

«Es war dämlich.» Endlich sieht sie mich an. «Du findest mich abstoßend. Ich seh es in deinen Augen. Es *ist* abstoßend. Früher hatten wir ein Haus. Ein richtiges Zuhause.»

«NEIN! Nein, ich bin froh, dass du mich hergebracht hast.»

«Du lügst.»

«Nichts an dir könnte mich jemals abstoßen.»

«Ich weiß nicht, wieso ich dich hergebracht hab. Ich wollte nicht, dass du mich für eine Lügnerin hältst. Das dadrinnen ist mein Zuhause. Deshalb muss ich auf der Straße arbeiten. Dad ist tot. Die Rakete hat unser Haus zerstört. Wir andern sind rausgekommen, nur er nicht. Mum kann nichts tun. Ihr Körper ist noch da, aber alles andere von ihr scheint irgendwie unter den Trümmern begraben zu liegen. Sie sind an dem Tag damals beide gestorben, doch von ihr läuft immer noch ein Schatten herum, der spricht, isst, schläft und so tut, als ob er sie wäre. Sie verlässt nie unseren Unterschlupf. Ich kann nichts ... ich halte alles zusammen ... ohne mich wären sie ... ich muss sie einfach ... am Leben halten. Nur dazu bin ich da. Wenn du das nicht über mich weißt, weißt du gar nichts, deshalb musste ich es dir zeigen ... bevor du ... falls du mit mir gehen willst, musst du wissen, wer ich bin. Ich tu so, als wär ich das eine, aber in Wirklichkeit bin ich etwas anderes. Ich heuchle die ganze Zeit. Ich bin eine Lügnerin. Ich hab vergessen, wie das geht, etwas anderes zu sein. Tut mir leid. Tut mir so leid. Du musst dich nicht mehr mit mir treffen ...»

Ich ziehe sie an mich, schlinge meine Arme um sie, halte ihren zuckenden Körper, während sie schluchzt. Als wir so fest umklammert dastehen und kein Lufthauch mehr zwischen unsere Körper passt, habe ich das Gefühl, in ihr aufzugehen, bis wir vereint scheinen und ich das Gefühl verliere, ich könnte sie jemals loslassen oder sie mich.

Und doch will ich noch mehr. Ich will sie ganz. Ich habe noch nie ein so heftiges Bedürfnis gespürt, auch wenn im

Hinterkopf leise eine Warnglocke klingelt, nachdem ich ihr Zuhause gesehen, ihre Familie kennengelernt habe, und fragt, was es wirklich heißt, sich jemandem hinzugeben, dessen Leben derart verzweifelt ist. Reicht es, sie einfach zu lieben, oder muss ich sie retten?

«Komm mit in das Haus, das ich gefunden habe», sage ich. «Morgen.»

«Ich muss arbeiten.»

«Dann übermorgen. Am Sonntag.»

Wir sehen uns an. Sie umschlingt meine Finger und drückt dann fest zu.

«Okay», sagt sie. «Sonntag.»

DIE BASIS

Auf der Fahrt von der Bar zu ihr nach Hause klammert sie sich umso fester an mich, je schneller ich fahre. Ein paar Mal glaube ich zu hören, dass sie mich bittet, langsamer zu fahren, aber sicher bin ich bei dem Motorlärm und dem Wind nicht, und ich genieße ihre Umarmung zu sehr, um genauer hinzuhören.

Als wir ankommen, springt sie sofort ab und reißt sich den Helm vom Kopf. Es ist irgendwie sexy, wie die Haare herausfallen, wenn ein Mädchen den Helm abnimmt, doch als ihr Gesicht zum Vorschein kommt, schmollt sie nicht oder ist rot, wie ich gehofft habe. Vielmehr sieht sie blass aus und sauer.

«Hat's dir gefallen?», frage ich.

«Wieso bist du nicht langsamer gefahren?»

«Ich ...»

«Ich hab dich gebeten, langsamer zu fahren.»

«Hab ich nicht gehört.»

«Schwachsinn.»

«Das war total ungefährlich.»

«Ich hab dich gebeten, langsamer zu fahren.»

Ich steige von der Maschine und nehme meinen Helm auch ab.

«Tut mir leid», sage ich. «Tut mir echt leid. Ich fahr immer so schnell. Wenn man es nicht gewohnt ist, ist es wahrscheinlich ...»

«Ich hatte Angst.»

«Sorry, das wollte ich nicht.»

Ich trete auf sie zu und lege eine Hand auf ihre Schulter. Sie weicht nicht zurück. Ich komme noch einen Schritt näher, und sie rührt sich immer noch nicht.

Ich beuge mich vor und küsse sie.

Nach einem kurzen Moment weicht sie zurück.

«Nicht», sagt sie und dreht sich weg. Aber genauso hat sie eben reagiert, als sie meinte, sie hätte Angst gehabt. Trotzdem ist sie stehen geblieben, ganz offensichtlich um sich von mir küssen zu lassen. Vielleicht ist das ja so ein Spielchen von ihr – das eine sagen und das andere meinen –, um zu testen, wie sehr ich sie wirklich will.

Ich lege einen Arm um ihren Rücken, ziehe sie an mich, küsse sie noch einmal heftig auf ihre Lippen und schiebe die Zunge in ihren Mund. Sie krümmt und windet sich in meinem Griff, doch ich halte sie fest, zu erregt von der aufwallenden Lust, als dass mir bewusst würde, was ihr Widerstand heißt. Und ich lass sie erst los, als sich ihre Fingernägel in meine Wange krallen. Während ich langsam zurückweiche, gibt sie mir einen heftigen Stoß, der mich aus dem Gleichgewicht bringt. Sofort rennt sie mit fuchtelnden Armen weg von mir Richtung Haustür.

Regungslos sehe ich zu, wie sie sich mit dem Schloss ab-
müht. Sie lässt den Schlüssel fallen, hebt ihn mit zitternden
Fingern wieder auf, dann wirft sie sich gegen die Tür, stürzt
hinein und schlägt die Tür hinter sich zu. In der Dunkelheit
höre ich, wie sie Riegel und Kette vorlegt.

Mein Kopf entleert sich. Alle Gedanken, alle Gefühle sacken aus mir heraus. Für eine Weile bin ich nichts weiter als
ein paar Knochen, umhüllt von Muskeln und Fett. Ich kann
mich nicht rühren, keinen Gedanken fassen.

Irgendwo ein Stück die Straße runter bellt ein einsamer
Hund. Unter meinen Füßen kreiselt die Erde mit Tausenden
Kilometern pro Stunde.

Alles verloren.

Ich habe schon oft und auf viele Weisen bei Mädchen
versagt, aber nie so. Ich habe mich schon oft und auf viele
Weisen blamiert, aber nie so.

Es scheint nicht nachvollziehbar, wie sich etwas so Ero-
tisches, Hoffnungsvolles und Dankenswertes binnen Sekunden in Gewalt und Schande verwandeln kann.

Ich möchte zu ihrer Tür gehen und durch den Brief-
schlitz rufen, dass sie mich missverstanden hat, dass ich ihr
niemals weh tun würde, dass ich nicht wusste, was ich tat,
dass ich ihr gegenüber niemals Gewalt anwenden würde,
doch mir ist klar, sie wird nie mehr mit mir reden. Sie wird
nie mehr ein Wort von mir hören wollen. Es gibt nichts, was
ich tun könnte, um es ihr zu erklären, mich zu rechtfertigen
oder etwas zurückzunehmen.

Ich muss gehen. Ich muss nach Hause fahren. Ich muss
eine Möglichkeit finden, die Nacht durchzustehen, ohne

auch nur mit einer Hirnzelle nachzudenken, denn es ist kein Gedanke mehr da, den ich ertragen könnte.

Die einzige Chance, die Vorstellung in Schach zu halten, dass ich nie wieder eine Freundin haben werde und es nicht mal versuchen dürfte, ist, mich ins Delirium zu trinken.

Ich steige wieder auf mein Motorrad, lasse den Motor aufheulen und hoffe, dass mich das Röhren der Maschine wiederbeleben, mich zurück zu mir selbst führen wird, aber selbst das Aufheulen klingt fern und gedämpft, als ob es irgendwo anders stattfände.

Ich gebe Gas, lasse die Kupplung kommen und jage davon. Trotz des verwirrenden Gefühls, dass ich meine Maschine nicht wirklich unter Kontrolle habe, biege ich von der Einfahrt auf die Hauptstraße, die unbeleuchtet und ohne Verkehr daliegt. Ich reiße den Gashebel in meine Richtung und klicke mich durch die Gänge, bis ich im obersten bin. Ein vages Bewusstsein sickert durch mich, dass der Motor hoch und angestrengt klingt, als wenn er am äußersten Limit liefe. Doch ich halte den Lenker fest umklammert und presse aus meinem Motorrad alles heraus, was nur geht.

So schnell zu fahren, ist fast wie in einer jenseitigen Essenz reiner Geschwindigkeit zu schwimmen, mit dem Gefühl, ganz still zu ruhen, während sich einem die Landschaft wie wild entgegenwirft.

Das Einzige, was ich sehe, ist der zapfenförmige Ausschnitt der Welt, der von meinem Scheinwerfer erhellt wird, aller Farben beraubt und schon fort, sobald du ihn siehst. Ich könnte fast auch an meinem Schreibtisch sitzen, meine Drohne fliegen und den bildschirmförmigen

Ausschnitt eines anderen Ortes weit weg von mir beobachten.

Wenn ich dort geblieben und weiter geflogen wäre, anstatt in die Bar zu gehen und der Phantasievorstellung zu folgen, dieses Mädchen zu besitzen, wäre ich glücklich. Mein Leben würde sich immer noch lebenswert anfühlen.

Ich steure die Maschine in die Mitte der Straße, gebannt von dem Flackern der gestrichelten Mittellinie, die unter meinen Rädern aufblitzt, und spüre durch den ganzen Körper die wechselnden glatten und rauen Oberflächen von Asphalt und Farbe, Asphalt und Farbe, Asphalt und Farbe.

Mir kommt der Gedanke, dass ich betrunken bin und jeden Moment einen Unfall bauen könnte und dass es, wenn es passierte, nicht die geringste Rolle spielen würde.

DIE STADT

Dad geht in den Untergrund. Er will mir nicht sagen, wohin, doch er meint, der Angriff könne unmittelbar bevorstehen. Er könne ein paar Tage dauern oder mehrere Wochen. Und für die Familie sei es sicherer, wenn er sich woanders aufhielte. Was er nicht sagt, ist, ob er in die Reaktion auf den Angriff involviert ist. Und ich frage auch nicht.

Er will, dass wir auf seine Abwesenheit gut vorbereitet sind, doch weil er überwacht wird, darf er nicht dabei gesehen werden, wie er Vorräte anlegt, deshalb bleibt er mit den Zwillingen zu Hause und schickt Mum und mich zum Supermarkt. Wir kaufen alles in Dosen, dazu Tütensuppen, Nudeln, Reis, Linsen, Bohnen, Kichererbsen, Mehl, jede Menge von den langweiligsten Esssachen, die man sich vorstellen kann, alles Dinge, die lange und auch ohne Kühlung halten. Mum backt normalerweise kein Brot, aber auch Trockenhefe steht auf der Liste, für alle Fälle. Eine Lieferung Trinkwasser (im Kanister) ist bereits bestellt.

Der ganze Samstag vergeht mit dieser Aktion und dem Verräumen der Esssachen im ganzen Haus: in Schränken, unter Betten, in jeder Ecke von jedem Zimmer. Mittags scheint alles geschafft, doch Dad schickt uns erneut los, zu einem anderen Supermarkt, um weitere Vorräte zu besorgen.

Während wir einen Gang nach dem andern ablaufen, wechseln Mum und ich kaum ein Wort miteinander, so schwer lastet die Sorge auf uns vor dem, was kommen wird. Bei jeder Dose, die ich aus einem Regal nehme, stelle ich mir einen weiteren Tag des Schreckens und der Langeweile vor, gefangen im Haus, während die Bomben fallen. Am Ende ist der Einkaufswagen so vollgeladen, dass wir ihn gemeinsam zur Kasse schieben müssen.

Die Frau an der Kasse sieht uns verwundert an, während sie unsere Einkäufe scannt, und ich erkenne an ihrem Gesichtsausdruck, dass sie am liebsten fragen würde, was wir vorhaben, ob wir was wissen, doch sie unterlässt es. Nicht, dass sie uns misstraut, aber unsere Einkäufe sind ein Signal, das ihr Angst macht.

Erst als sie Mum das Wechselgeld zurückgibt, fasst sie nach der ausgestreckten Hand meiner Mutter, beugt sich ihr entgegen und sagt in scharfem, angestrengtem Flüsterton. «Steht was bevor?»

Einen Moment lang starren sie sich regungslos an, und die Kassiererin sieht bittend durch das Fallgitter des ausdruckslosen Gesichts meiner Mutter. Mum nimmt das Wechselgeld entgegen, zieht ihre Hand zurück und nickt der Frau, die ganz bleich wird, nur einmal kurz zu.

Wir wenden uns ab und schieben den Einkaufswagen zur Tür.

Beim letzten Angriff war ich vierzehn, zehn bei dem davor. Diese Jahre sind jedem ins Gedächtnis gebrannt, und das Leben ist in die Zeitenhappen zwischen den Angriffen unterteilt. Manche nennen die Angriffe Krieg, andere finden, dass die Angriffe zu einseitig sind, um das Wort Krieg zu benutzen, doch egal, welches Wort man verwendet, es läuft aufs Gleiche hinaus, wenn man in seinem Haus kauert, die Vernichtung Stunde um Stunde, Tag und Nacht aus dem Himmel herabschießt, der Unterschied zwischen Leben und Tod einfach nur Glückssache ist und du weißt, dass du jede Sekunde ausgelöscht werden kannst, zerquetscht wie eine Fliege, ausgeknipst wie eine Lampe. Oder verletzt, verstümmelt, verkrüppelt, versengt, verwaist ...

Als ich noch klein war, versprachen mir meine Eltern, immer auf mich aufzupassen. Auch wenn ich ihnen das nie richtig glaubte, wollte ich es doch immer wieder hören. Es jetzt auszusprechen, wäre einfach absurd.

Am Samstagabend essen wir schweigend. Es fällt kein Wort, aber nachdem das Haus mit Lebensmitteln vollgestopft und darauf vorbereitet ist, dass mein Vater untertauchen wird, herrscht ein Gefühl, als wäre es jeden Moment so weit und als würde er, wenn er geht, womöglich nie mehr zurückkommen. Nur ein Klopfen an der Tür, eine Nachricht auf einem Zettel, und er ist fort.

Die Zwillinge verstehen nicht, was vorgeht, trotzdem spüren sie die schwere, angespannte Atmosphäre. Anfangs sind sie noch still, dann fangen sie an zu streiten, wer von ihnen hungriger ist, doch es wirkt lustlos, beinahe pflichtschuldig, als wollten sie gemeinsam eine Hintergrundmelodie zur Verzweiflung schafften. Als Ella mit ihrem Arm nach der Schwester schlägt, kippt ihr Wasserglas um. Mum schreit die Zwillinge an wegen der Unachtsamkeit, wegen des Lärms, wegen ihres schlechten Benehmens und hört nicht mehr auf, bis bei beiden die Tränen fließen.

Dad sagt, sie soll sich beruhigen. Mum blafft ihn an, dass er nichts tue, um ihr zu helfen, stampft in die Küche, kommt mit einem Trockentuch zurück, knallt es auf den Tisch und verschwindet wieder. Dad wischt das verschüttete Wasser auf. Wir sprechen nicht miteinander und sehen uns auch nicht an, bis er schließlich aufsteht und den Tisch abräumt.

Aus der Küche hör ich die beiden flüstern, kann aber nichts verstehen.

«Schon gut», sage ich zu Ella. «Ist ja nur Wasser.»

Sie streckt mir die Zunge raus.

«ELLA HAT IHM DIE ZUNGE RAUSGESTRECKT», sagt Ruby.

Ich lege den Finger auf meine Lippen. «Nicht jetzt», sage ich zu ihr.

Ruby und Ella reagieren synchron, wie so oft, und machen auf einmal ein total verängstigtes Gesicht.

«Was ist los?», fragt Ella.

«Nichts», antworte ich.

«Wieso steht das ganze Essen überall rum?», fragt Ruby.

«Das ... das war ein Sonderangebot. Ausverkauf.»

«Du lügst», sagt Ella.

«Wieso waren wir den ganzen Tag bei Dad?», fragt Ruby.

«Werden die Läden alle zumachen?»

«Werden Bomben fallen?»

«Ich ...»

«Werden wir wegrennen müssen?»

«Werden wir in einem Zelt leben müssen?»

Mein Blick schießt zur Küchentür, wo Mum und Dad plötzlich aufgetaucht sind. Mum geht zu den Zwillingen, setzt sich neben sie und hebt die beiden auf ihren Schoß.

«Es tut mir leid, dass ich geschimpft habe», sagt sie. «Ich hatte nur einen schlechten Tag.»

Ich beobachte meine Schwestern, wie sie sich an Mums Brust schmiegen, und lausche gebannt ihrem Atem, als wenn in dem Geräusch eine trügerische, aber wichtige Antwort auf eine Frage steckte, die ich nicht weiß.

«Wahrscheinlich erinnert ihr euch nicht mehr an das letzte Mal», sagt Mum. «Damals wart ihr noch klein. Da waren laute Flugzeuge und Bomben, es war sehr, sehr gefährlich und könnte wieder passieren. Deshalb haben wir das viele Essen gekauft, denn wir müssen im Haus bleiben. Aber vielleicht passiert es ja auch gar nicht. Wie auch immer, wir passen auf euch auf. Wenn ihr bei uns seid, dann seid ihr vollkommen in Sicherheit. Und ich werde die ganze Zeit hier sein. Habt ihr verstanden?»

Ganze Häuser – ganze Wohnblöcke – können mit einem Schlag ausgelöscht werden. Mum weiß das, Dad weiß das, ich weiß das. Und nach dem Blick der Mädchen zu urteilen, wissen die zwei es ebenfalls, jedenfalls so halb, doch sie scheinen auch zu spüren, dass es der Familie hilft, wenn sie so tun, als würden sie Mum glauben.

Eingekuschelt auf ihrem Schoß, nicken die beiden und lassen Mum mit dem Daumen die Tränen von ihren Wangen wischen. Vielleicht haben die Beteuerungen, die Mum ihnen gegeben hat, sie getröstet. Vielleicht ist es auch, weil die Situation jetzt geklärt ist und ihre Aufgabe darin besteht, so zu tun, als würden sie Mums Zusicherung, dass sie in Sicherheit sind, tatsächlich glauben. Oder vielleicht meint Mum ja in Wahrheit, dass sie, wenn sie ganz dicht zusammenbleiben, so wie jetzt, nicht getrennt, nicht auseinandergerissen werden können. Sie drei werden alle gemeinsam leben oder gemeinsam sterben, aber niemand wird allein zurückbleiben. Gut möglich, dass es das ist, was den beiden Trost gibt. Ich weiß nicht mal, ob sie die Vorstellung von Tod überhaupt begreifen. Vielleicht ist ja ihre einzige Angst, getrennt zu werden.

«Es war ein anstrengender Tag», sagt Mum nach langem Schweigen. «Sollen wir das Baden heute ausfallen lassen, und ich erzähle euch dafür noch eine Extra-Geschichte?»

Die Mädchen lächeln, und Mum bringt sie nach oben.

Dad setzt sich.

Im Zimmer wird es dunkel, doch keiner von uns steht auf und macht Licht.

Ich horche auf den Singsang von Mums Stimme, der durch die Zimmerdecke dringt. Für die Zwillinge ist Mum wie eine Bettdecke, ein Schutzschild, ein Gott, eine Person, deren Gegenwart jede Angst vertreiben kann, selbst eine, die völlig berechtigt ist. Sie muss das früher auch für mich getan haben, obwohl ich mich an das Gefühl nicht erinnere.

Während ich Mums vertrauter, besänftigender Stimme beim Vorlesen lausche, wird mir plötzlich klar, wie schön und gleichzeitig traurig es ist, dass Eltern einen vor allem schützen, selbst vor der Wahrheit – bis zu dem Tag, an dem du plötzlich selbst in dem blendenden Licht stehst, allein, ohne so recht zu wissen, wo du bist und was dich hergeführt hat.

«Ich kann heute keine Nachrichten überbringen», sage ich.

In der Dunkelheit kann ich erkennen, wie Dad leicht mit den Schultern zuckt. «Was hast du vor?», fragt er.

«Nur eine kleine Tour.»

Sein Körper bleibt zusammengesackt, doch ich sehe, wie sein Blick eilig in meine Richtung springt.

«Wohin?»

Ich hab nicht erwartet, dass er mich ausfragt. Von Brixton kann er nichts wissen. «Weiß ich noch nicht», lüge ich.

«Mit wem?»

«Mit Zoe.»

Er lacht, ein tiefes, hauchiges Rumpeln, wie ich es schon seit Ewigkeiten nicht mehr bei ihm gehört habe.

«Oh», antwortet er. «Die Freundin.»

Ich habe keine Lust auf weitere Fragen, doch ehe ich es schaffe, aufzustehen und zu gehen, will er wissen, wo wir hinwollen.

«Weiß nicht. Bloß bisschen rumfahren. Auf meinem Rad.»

«Fahr nicht zu weit.»

«Wieso nicht?»

«Einfach ... nicht morgen. Bleib in der Nähe.»

Ich zucke mit den Schultern und erhebe mich von meinem Stuhl. Brixton liegt am südlichen Ende des Streifens, so weit weg wie nur möglich. Es gibt auch keinen Plan B, nichts, wo ich sonst mit Zoe hinfahren könnte, keinen anderen Ort, wo wir allein sein können.

«Ich meine das ernst», blafft er, steht auf und versperrt mir den Weg zur Tür. «Ich weiß, dass du schon überall gewesen bist. Das ist auch okay. Aber fahr morgen nicht so weit. Versprich's mir.»

Ich zucke mit den Schultern

Er packt mich am Unterarm, bohrt mir seine Finger ins Fleisch.

«Versprich es.»

Ich winde den Arm aus seinem Griff und mache einen Schritt rückwärts.

«Ich werd vorsichtig sein», sage ich.

Das Licht geht an. Mum steht wieder im Zimmer.

«Was ist los?»

«Nichts», antworte ich.

«Wir unterhalten uns bloß», fügt Dad wenig überzeugend hinzu. «Schlafen die Mädchen?»

«Sie wollen einen Gutenachtkuss von dir.»

Er schlurft hinaus. Mum sieht mich fragend an, doch ich drehe mich weg und gehe nach oben in mein Zimmer.

Wenn Dad recht hat mit dem, was auf uns zukommt, dann darf ich jetzt einfach nichts Wichtiges verschieben. Vielleicht glaubt er ja, dass mich seine Warnung erschreckt hat, doch sie hat eher den gegenteiligen Effekt. Meine Haupterinnerung an den letzten Krieg ist tief in meinem Innern verankert, wie wir fünf uns die ganze Zeit vor den Angriffen verstecken, um während der kurzen Ruhepausen oder Waffenruhen in Windeseile unsere Vorräte aufzustocken. Stärker als an die Angst und die Langeweile erinnere ich mich an das klaustrophobische Gefühl, nie aus dem Haus zu kommen.

Wenn das tatsächlich wieder losgeht, ist morgen vielleicht die letzte Chance für Zoe und mich, zusammen zu sein. Es könnte unsere einzige Chance werden, denn auch wenn diese Angriffe begrenzt sind, weiß man nicht, wie die Welt nach einem Krieg aussehen wird. Man kann nichts planen, auf nichts hoffen, denn man weiß nicht, wer, wo oder was man danach sein wird. Unser Ausflug kann also nicht verschoben oder geändert werden.

DIE BASIS

Ich würde nicht gerade behaupten, dass es mich bis zur Bewusstlosigkeit quält, aber ich bin doch ziemlich fertig, als ich irgendwann einschlafe, und halb tot, als ich am Sonntagmorgen um neun von meinem Handy geweckt werde. Die Nummer ist unterdrückt, und als ich drangehe, kriege ich kaum ein Hallo raus. Meine Zunge ist ausgetrocknet und geschwollen. Der Rest des Mundes fühlt sich taub an.

Mit einem Schock, der meinen schlappen Puls auf Touren bringt, erkenne ich die Stimme von Flugleutnant Wilkinson. «Der Wochenendurlaub ist für alle gestrichen. Melden Sie sich um Punkt zwölf Uhr zum Dienst.»

Für einen schrecklichen Moment frage ich mich, ob das etwas mit den Geschehnissen gestern Abend zu tun hat. Hat Victoria mich wegen ... ich weiß nicht, was das richtige Wort wäre ... wegen einer Art Übergriff angezeigt?

«Haben Sie mich verstanden?», blafft er.

«Ja, Sir. Zwölf Uhr.»

Das Gespräch ist beendet. Ich lasse das Handy in meinen Schoß fallen und starre auf meine Hände, die Hände, die letzte Nacht nach Victoria gefasst haben, die Hände, die sie festgehalten haben und sie nicht loslassen wollten. Aber doch nur für ein, zwei Sekunden. Viel länger auf keinen Fall. War das wirklich so schlimm?

«Der Wochenendurlaub für alle», hat Wilkinson gesagt. Nicht «Ihr Wochenendurlaub». Das ist ein gutes Zeichen. Außerdem käme das Ganze auch viel zu schnell. Wenn Victoria eine Beschwerde eingereicht hätte, wären sie doch niemals jetzt schon hinter mir her, oder? Ich meine, es ist doch vor weniger als zwölf Stunden passiert. Und was hatte ich denn überhaupt getan? Nichts. Es war gar nichts. Ein dummes Missverständnis. Ich bin ein ausgebildeter Soldat, ein versierter Pilot – sie würden doch wegen so einer Lappalie niemals meine Karriere unterbrechen.

Ich schleppe mich ins Bad und untersuche meine rechte Wange, die ganz leicht puckert. Ich entdecke einen kleinen Kratzer und etwas Blut, aber nichts Verfängliches.

Ich rasiere mich oberflächlich, in der leisen Hoffnung, an einer anderen Stelle meines Gesichts einen ähnlichen Kratzer zu schaffen, dann wecke ich meinen Körper mit einer stechend heißen Dusche und stürze in meinem Bademantel die Treppe hinunter. Ich ziehe mich immer erst ganz zum Schluss an, um ja nichts über die Uniform zu kippen.

Mum sitzt am Tisch, was das Letzte ist, was ich jetzt brauche. Ich knurre ein Hallo und setze mich mit einer Schale Müsli und einem schwarzen Kaffee ihr gegenüber.

«Spaß gehabt gestern Abend?», fragt sie. «Hab dich spät heimkommen hören.»

Ich hasse es, von ihr kontrolliert zu werden. Ist das Mums

Art, mir zu sagen, dass ich sie geweckt habe? Benutzt sie das Wort *Spaß*, damit ich mir vorkomme wie ein Kind? Ich schaufle ein paar Löffel in mich hinein und murmele: «Ganz okay.»

«Wo bist du gewesen?»

Ich schau zu ihr rüber. Sie wirkt entspannt und ausgeglichen, als würde sie beim Frühstück in einem Hotel zufällig mit jemandem am gleichen Tisch sitzen und höflichen Smalltalk machen. Ich habe das vage Gefühl, dass sie sich vielleicht über mich lustig macht oder mich ärgern will, doch ich wüsste nicht, wieso. Vielleicht will sie sich ja auch mit mir versöhnen. Mein Hirn ist noch zu vernebelt und langsam, um es herauszufinden, deshalb spiel ich mit offenen Karten.

«Nur in einer Bar. Mit ein paar von den Jungs.» Ich sage es nicht freundlich, aber auch nicht unfreundlich.

«Deinen Kollegen?»

«Ja.»

«Sind sie nett?»

Was für eine dumme Frage! «Äh ... ja. Aber das ist vielleicht nicht ganz das richtige Wort. Wir sind Soldaten. Wir kämpfen gemeinsam. Es geht nicht um nett sein. Wir sind eine Einheit. Es gibt eine Verbundenheit, die ... ich kann dir das nicht beschreiben. Und ich weiß auch gar nicht, wieso du plötzlich so tust, als ob es dich interessiert.»

Ihr Gesicht behält den Ausdruck unpersönlicher Höflichkeit bei, nur dass es sich jetzt etwas spannt. «Ich würde es nicht kämpfen nennen, mein Junge», antwortet sie. «Ich meine, es ist doch eine Schreibtischtätigkeit, oder?»

Ich stehe auf, nehme die Müslischale und schleudere sie durch die Küche. Sie trifft die Schranktür unter der Spüle und zerschellt. Keramikscherben mit Blumenmuster schießen über den mit Milch vollgespritzten Boden.

Keine Ahnung, warum ich das getan habe, und fast im selben Moment habe ich das Gefühl, als hätte sich jemand in mein Hirn gehackt und die Kontrolle über meine Gliedmaßen übernommen. Die erdrückende Wut, die meine Selbstbeherrschung außer Gefecht gesetzt hat, verschwindet genauso schnell wieder, wie sie gekommen ist, und hinterlässt keine Erklärung, nur den Hauch einer ausdruckslosen Verwirrung.

Ich schaue auf meine Mutter, deren Gesicht sich kaum verändert hat, bis auf einen leichten Triumph in den Augen. Meine Arme fühlen sich leicht an, ein wenig zittrig, immer noch nicht wieder ganz unter Kontrolle.

Ich laufe aus der Küche nach oben und ziehe die Uniform an, doch gerade als ich gehen will, sehe ich mich kurz im Spiegel der halb geöffneten Kleiderschranktür.

Ich weiß nicht, wieso, aber der kurze Blick in den Spiegel lässt mich stehen bleiben und mich so genau mustern, dass ich nach einer Weile nicht mehr weiß, wer ich bin und wer mein Spiegelbild, wer der Betrachter und wer der Betrachtete ist. Einen Moment lang bin ich getroffen von dem Gedanken, dass keiner von beiden wirklich ich bin, dass es irgendwo einen wahreren Kern meiner selbst geben muss, der entweder ein anderes Leben lebt oder vielleicht einfach ungeboren ist. Das Leben hat mich in eine unnatürliche Gestalt gepresst. Das da ist nicht der, der ich werden sollte.

Schließlich trete ich die Schranktür zu, gehe nach unten und jage mit meiner Maschine davon.

Es ist noch nicht mal elf, deshalb fahre ich an der Basis vorbei und schlage die Stunde in einem Café am Stadtrand tot. Ich dämpfe meinen Kater mit einem üppigen Frühstück und ein paar Bechern Tee, kaue jeden Bissen zu einem weichen Brei, ehe ich ihn hinunterschlucke, und versuche, das Kreisen in meinem Schädel zu stoppen. Während ich den kochend heißen Tee schlürfe, verbanne ich alle Gedanken an Victoria und meine Mum aus dem Kopf und zwinge ihn in Vorbereitung auf meine Schicht, sich zu beruhigen und von allem zu befreien.

Pünktlich um zwölf melde ich mich zum Dienst, ruhig und mit klarem Kopf, wieder ganz ich selbst durch das warme Frühstück. Sofort wird klar, dass ich nicht gemaßregelt werde. Es gibt kein Anzeichen von Wilkinson oder Victoria, nur mein Ausbilder ist da und erklärt mir, dass meine Schulung abgekürzt wird. Ich muss ein paar letzte Tests machen, unter absoluten Kampfbedingungen, und wenn ich bestehe, bin ich am nächsten Tag wieder im Dienst statt im Training. Es steht ein Einsatz bevor, und sie haben zu wenig Personal.

«Ja, Sir», antworte ich und merke, dass in den wenigen Sekunden, die ich ihm zugehört habe, die Reste meines Katers verflogen sind.

Draußen gehen bei mir Dinge schief, springen mich aus dem Nichts unerwartete Demütigungen an und fallen über mich her. Aber die Basis hier ist mein Hafen. Innerhalb dieser Stacheldrahtumzäunung bin ich zu Hause.

«Wallis wird heute Ihr Sensor-Operator sein», fährt er fort. «Er ist auch in der Beurteilung.»

Ich schüttle Wallis' große weiche Hand. Wenn er Mist baut, bin ich erledigt. Auf einer bewaffneten MQ-9 ist dein Sensor-Operator so etwas wie zusätzlich verfügbare Gliedmaßen. Gestern hat der Simulator diese Rolle übernommen, aber heute ist alles echt, Kampfbedingungen für ein gemeinsames Team, und damit ich bestehe, muss Wallis gut sein. Es gibt kein Abwälzen von Verantwortung, genauso wenig wie eine besondere Fürsprache. Wir zwei müssen gemeinsam unseren Job erledigen.

Wir haben kaum Zeit, uns zu begrüßen, da beginnt bereits die erste Test-Mission: die Verfolgung und Eliminierung eines Jeeps mit sechs Männern in kriegsfähigem Alter in einer Bergregion. Es ist ein üblicher Doppelangriff bei Tageslicht, eine Gemeinschaftsoperation, bei der ein Jet den Erstschlag ausführt und wir dann hintendran die Reste beseitigen dürfen.

Es sind nur zwei, und ich erledige sie mit einer einzigen Hellfire-Rakete. Easy. Der einzige Unterschied zwischen Training und echtem Einsatz ist, dass im Simulator der Bildschirm kurz schwarz wird, wenn du getroffen hast, und danach statt endlosen Stunden des Wartens und Überwachens sofort der nächste Angriff folgt. Sie stellen sie direkt hintereinander, um deine Stressreaktion zu messen.

Wir machen einen Nachtflug, benutzen unsere Wärmesensoren, dann fliegen wir weiter Richtung Stadt, und ein Sicherheitsoffizier wird eingeschaltet für die Begutachtung der Kollateralschäden. Wir bekommen Tag- und Nachtsituationen, Fußgänger und Fahrzeuge, offen und verdeckt, der übliche Mix. Operationen in der Stadt sind heikler, mit weniger klarem Erfolg-oder-Fehler-Profil, aber Wallis arbeitet solide, und zusammen legen wir eine starke Vorstellung hin.

Danach gehen wir sofort in die Nachbesprechung, und ich bin überrascht, dass es draußen schon dunkel ist, als ich hinausschaue. Ich war so konzentriert, dass ich gar nicht gemerkt habe, wie schnell der Tag vergangen ist. Ich sehe verschwommen, meine Augen müssen sich erst wieder an die Dreidimensionalität gewöhnen.

Mit einem knappen Nicken wird uns gesagt, dass wir beide bestanden haben und wir uns am nächsten Tag um zwölf Uhr zum Dienst melden sollen. «Gute Arbeit», sagt der Ausbilder, als wir hinausgehen. «Morgen die gleiche Prozedur und nicht am Simulator.»

Wallis und ich gehen schweigend ein Stück den Flur entlang, dann drehen wir uns wie auf ein Stichwort zueinander und grinsen uns an. Ich weiß nicht, wer damit anfängt, aber als Nächstes liegen wir uns in den Armen. Nur ganz kurz – mehr so ein gegenseitiger Klaps auf den Rücken –, und auch wenn wir kaum ein Wort miteinander gesprochen haben, weiß ich, er denkt das Gleiche wie ich, und das ist: An einem einzigen Tag haben wir eine ganz intensive Beziehung aufgebaut.

Menschen außerhalb des Militärs können nicht verstehen, wie Soldaten auf dem Schlachtfeld ihr Leben füreinander riskieren, doch wenn du das durchmachst, was wir durchmachen, dann ergibt das durchaus Sinn. Die Bindungen, die du zu deinen Kampfgefährten entwickelst, sind unmittelbar und unzerstörbar. Natürlich steht im ferngesteuerten Kampf nicht dein Leben auf dem Spiel, aber wenn es so wäre, würde ich alles für diese Jungs tun. Ganz klar.

Auf dem Parkplatz bewundert Wallis meine Maschine, und ich will ihm schon fast ein gemeinsames Bier vorschlagen, um unseren Adrenalinspiegel wieder nach unten zu bringen, als ich denke, die Mission morgen wird ernst, und wenn es am Mittag losgeht, könnte das heißen, wir arbeiten bis in die Puppen, deshalb lasse ich's lieber.

Wir sagen uns mit einem die Knöchel zerquetschenden Handschlag ein weiteres Mal, dass wir super waren, dann trennen wir uns und fahren jeder nach Hause.

Während ich unterwegs bin, kehrt die Erinnerung an die Müslischale zurück, doch ich schiebe den Gedanken schnell beiseite. Kurz danach kommt eine miese Wiederholung meines verheerenden Festhaltens von Victoria hoch, doch ich vertreibe auch dieses Bild.

Der heutige Tag war ein Einschnitt, ein bedeutender Aufstieg in der Basis. Ich habe ganz vergessen nachzufragen, aber es wird sicher eine Gehaltserhöhung geben. Vielleicht endlich genug Geld, um in eine eigene Wohnung zu ziehen.

Während ich die Maschine in einen höheren Gang schalte und einen Beschleunigungsruck vom Motor über die Räder an meinen Körper sende, sage ich mir, dass letzte Nacht und das Frühstück heute Morgen die letzten Demütigungen in einer Phase meines Lebens waren, die jetzt vorbei ist. Ich war zu schwach, zu unsicher, zu zögerlich. Dieser Aufstieg ist das Zeichen für ein stärkeres Ich, ein Schritt nach oben zum Mann.

DIE STADT

Es ist der erste heiße Tag des Jahres. Als ich nach Süden in Richtung St. Pancras fahre, ist die ganze Stadt von einer Atmosphäre der Erleichterung erfüllt. Manche Leute tragen zwar noch ihre zerlumpten Mäntel – die Hungrigen, denen immer kalt ist bis auf die Knochen –, aber die meisten sind nur mit T-Shirt und Sonnenbrille unterwegs. Es sind mehr Menschen auf der Straße als sonst, sie füllen jeden Zentimeter der Gehwege aus, laufen in Eile, schlendern oder stehen einfach wie Sonnenblumen, die Gesichter der herrlichen Wärme entgegengestreckt.

In der Nähe von Camden Lock entdecke ich den Grauhaarigen, der mich mal gepackt hat. Diesmal belästigt er einen anderen Jungen und schreit: «*Ich wusste, du würdest zurückkommen! Ich wusste, du würdest zurückkommen! Ich wusste, du würdest zurückkommen!*»

Der Junge toleriert das zuerst, sagt etwas, das ich nicht verstehe, schiebt ihn dann aber fort, vielleicht fester als beabsichtigt, oder er schätzt die Schwäche des Mannes falsch ein, der zurücktaumelt und hinfällt.

Der Junge zögert, überlegt anscheinend, dem Mann aufzuhelfen, doch dann dreht er sich um und geht. Der Alte liegt weiter reglos auf dem Rücken, deshalb überquere ich die Straße, um zu schauen, ob er Hilfe braucht. Als ich absteige, sieht er mich, wird plötzlich hellwach, rollt sich auf den Bauch, stemmt sich auf die Knie und zieht seinen Körper aufrecht, während er wieder die ganze Zeit seinen verzweifelten Singsang herausschreit, diesmal in meine Richtung. Ein Auge hat unter dem Lid eine Schwellung von der Farbe und Größe einer reifen Pflaume.

Ich steige wieder aufs Rad und fahre davon.

Zoe wartet an der gewohnten Stelle auf mich. Sie steht an ihrem speziellen Platz, das rechte Bein angewinkelt, die Hacke gegen die Innenseite des linken Knöchels gestützt. Ja, so steht sie immer da. Genau so erwarte ich, sie zu sehen.

Jedes Mal, wenn ich Zoe treffe, hab ich das angenehme Gefühl, dass sie sich mir gegenüber langsam mehr und mehr öffnet. Das Netz aus Ticks, Angewohnheiten und Eigenschaften, das sie zu der macht, die sie ist, wird jeden Tag vertrauter und irgendwie aufregender. Je mehr sie preisgibt, desto hungriger werde ich auf die noch verborgenen Dinge.

Sie trägt ihre gewohnten abgewetzten Sneakers, dazu ein weißes Tank Top und ausgeblichene Jeans. Die Haare hat sie auf eine Weise zurückgebunden, wie ich es noch nie an ihr gesehen habe, während die Stirn wie immer hinter dem schiefen Pony verborgen ist. Mein Puls schlägt höher bei dem Gedanken, dass wir gleich zu dem Haus fahren werden, das ich gefunden habe, und uns hinlegen, uns küssen, uns ausziehen, und wenn sie nicht ihre Meinung geändert hat ... wenn sie nicht ihre Meinung geändert hat ...

Der Moment ist auf atemberaubende Weise nah und die Vorstellung davon doch ganz weit weg. Obwohl der Ausflug Zoes Idee war, kann ich eigentlich noch immer nicht glauben, dass sie das wirklich tun will. Und wenn, wenn wir es tun, was liegt dann jenseits davon? Was wird sich verändern? Wer werde ich sein? Keine Ahnung.

Zoe scheint in Gedanken versunken. Vielleicht stellt sie sich ja gerade dieselben Fragen. Als sie mich sieht, lebt ihr Gesicht auf, und sie ist wieder ganz in der Gegenwart. Ich schlängle mich durch den stehenden Verkehr und drücke sie an mich, sauge ihren süßen Duft ein, fülle meinen Körper damit und vergesse, wo ich bin oder ob vielleicht jemand zuschaut.

Als sich unsere Lippen trennen, schlägt sie langsam die Augen auf, wie jemand, der aus einem Traum erwacht. Wir starren einander an, und das Universum bleibt für uns einen Augenblick lang stehen.

«Bist du bereit?», fragt sie schließlich. «Sollen wir los?»

Ich drehe mich zu meinem Rad um und halte es für sie fest, doch in ihren Augen flackert der Hauch eines Zweifels auf.

«Dieser Ort, den du gefunden hast, ist der auch sicher?», fragt sie.

Ich habe noch nie etwas so sehr gewollt wie diesen Nachmittag mit ihr, doch schon seit ich aufgewacht bin, beunruhigt mich ein unangenehmes Summen, das mal lauter, mal leiser wird, aber nie ganz verschwindet. Ich habe Angst. Vor der Fahrt? Vor den ausgebombten Straßen in Brixton? Vor dem verlassenen Haus? Vor dem, was wir tun wollen, wenn wir dort sind? Ich weiß es nicht. Vielleicht kommt es auch bloß durch die Warnung meines Vaters, die jetzt wieder und wieder durch meine Gedanken kreuzt.

Aber darf ich so etwas Zoe gegenüber zugeben? Darf ich meine Ängste preisgeben? Sollte ich, wo ich so dicht davor bin, tatsächlich sagen: «Nein, er ist nicht sicher»?

Sie beobachtet mich, rührt sich nicht, wartet auf eine Antwort. Dann sagt sie: «Ist er dicht bei den Tunneln?»

Diese Frage *kann* ich beantworten. «Nicht allzu dicht. Aber es ist die Gegend.»

Zoes Körper ist beim Aufsteigen aufs Rad eingefroren.

«Wir müssen nicht fahren», füge ich hinzu. «Ich meine ... wenn es nicht der richtige Tag ist. Oder wenn du willst, dass ich was anderes suche.»

Sie beißt sich auf die Unterlippe, reibt sie gegen die oberen Schneidezähne, während sie nachdenkt.

«Was meinst *du*?», fragt sie.

«Weiß nicht. Ist schon ein Risiko, aber ...»

«Aber was?»

«Wenn wir's nicht tun, fürchte ich, explodier ich.»

Sie lächelt, drückt ihre Lippen auf meine, und ihre weiche Zunge schnellt kurz in meinen Mund. «Ich auch», sagt sie, löst sich von mir und steigt auf. «Fahren wir.»

Ich starre sie an, mein Hirn vernebelt vor Lust. Der Drang, jede Stelle an ihrem Körper zu küssen, jeden Millimeter zu erforschen, ist so mächtig, dass ich mich fast trunken, wahnsinnig, rasend fühle.

«Komm schon», sagt sie und klopft auf den Sattel. «Los geht's.»

Ich steige auf und steure uns in die Verkehrsschlange, die langsam in Richtung Westend kriecht. Wir beherrschen das Rad inzwischen perfekt, halten locker das Gleichgewicht, beugen uns gemeinsam in jede Kurve. Während wir durch London in Richtung Süden fahren, drehe ich mich alle paar Wohnblocks zu Zoe um, deren Blick die ganze Zeit durch die Straßen um uns herum streift und die Stadt in sich aufnimmt.

Es scheint kein Muster für die Bombenschäden zu geben. Manche Viertel sind schlimmer getroffen als andere, doch obwohl die älteren Trümmerfelder schon stärker überwachsen sind als die jüngeren, lässt sich nur schwer sagen, was eigentlich getroffen wurde und wann und warum.

Die körperliche Anstrengung des Fahrens hilft mir, den Kopf von ängstlichen Gedanken frei zu kriegen, doch als wir an einer von Unkraut überzogenen Ruine vorbeiradeln, die wie ein riesiger knorriger Finger in den Himmel zeigt und aus der eine verbogene Reihe Kinositze ragt, taucht plötzlich die Erinnerung an Dads Warnung in meinem Kopf auf: *«Fahr morgen bitte nicht so weit. Versprich's mir.»*

Ich sehe wieder den flehenden Blick in seinen Augen, als er die letzten zwei Worte wiederholte. Das war keine leere Drohung oder generelle Warnung. Er sprach von einem bestimmten Tag. Heute.

Ich habe ihm nichts versprochen. Ich habe mit der Schulter gezuckt und bin gegangen.

Mit jeder Minute, die vergeht, geraten wir in unvertrauteres Gelände, und in den zunehmend unbekannten Straßen spüre ich, wie mein Selbstvertrauen wankt. Mein Rücken ist schweißgebadet, trotzdem habe ich das Gefühl, dass mir innerlich immer kälter wird.

Wir fahren weiter die Shaftesbury Avenue lang, biegen an einem riesigen verschnörkelten Theater, das von Granatsplitter-Einschlägen überzogen und mit Brettern vernagelt ist, nach links ab. Hier in der Gegend fehlen nur wenige Gebäude, doch weiter südlich, hinter dem Trafalgar Square, sind ganze Häuserblöcke zerstört. Whitehall ist inzwischen eine breite Allee durch Niemandsland, die Mauern der alten Regierungsgebäude erstrecken sich in alle Richtungen wie ein zerklüftetes, fahles Meer. Ein Stück weiter steht noch eine Außenmauer der Houses of Parliament senkrecht, der Rest ist platt gewalzt. Wie unberührt ragt über allem Westminster Abbey auf.

Als wir den Fluss überqueren, ist meine Kehle ganz trocken; eisige Gewissheit pulsiert in meinen Adern und warnt mich, dass es zu riskant ist. Uns noch weiter den Tunneln zu nähern, ist ein Fehler. Doch ich kann jetzt nicht umdrehen. Wenn ein Angriff unmittelbar bevorsteht, muss gerade das doch ein Grund sein, weiterzufahren, mich zu beeilen, noch so viel vom Leben zu nutzen wie möglich, bevor die Sirenen heulen und das Leben auf unbestimmte Zeit verschoben oder ganz gestrichen wird.

Ich schaffe es nicht mal, mit Zoe über mein Dilemma zu reden. Es darf einfach nichts schiefgehen. Vielleicht ist das hier ja unsere letzte Chance. Wenn wir ankommen, sage ich mir, wenn Zoe und ich dort zusammen sind, wird meine Angst schon verfliegen. Sie hat die Kraft, alle Sorgen beiseitezuwischen. In unserer langersehnten Abgeschiedenheit wird sich jeder Gedanke an die Außenwelt wie von selbst auflösen. Das letzte Stück unseres Ausflugs ist nicht der richtige Moment für Selbstzweifel, nicht der richtige Moment, um Zoe mit meinen Ängsten zu infizieren.

Südlich vom Fluss ist die Stadt nicht so schlimm zerstört, aber weil es weniger Trümmergrundstücke gibt, die das Auge anziehen, spürt man hier den Verfall und den Niedergang viel, viel stärker. Eigentlich ist es eher die langsame, bröselnde Verwahrlosung, die einen anspringt. Nichts hier ist neu oder sauber oder frisch gestrichen. Kaum etwas wirkt stabil oder von Dauer.

Während der ganzen Fahrt sagt Zoe kein Wort. Schweigen scheint die einzig mögliche Reaktion auf die erdrückenden, unbeantwortbaren Fragen zu sein, wie wohl diese Straßen früher mal ausgesehen haben und wie es heute hier wäre, wenn es keinen Krieg gegeben hätte.

Meistens kann man sich der sinnlosen, befremdenden Vorstellung einer Normalität entziehen, den Bildern eines Lebens in einer sicheren, nicht zerbombten, friedlichen Stadt entgehen; aber manchmal reißt dieser Gedanke an einem wie ein wütender Stier.

Es ist eine lange Schufterei mit dem schwer beladenen Fahrrad die Kensington Road entlang, doch meine müde werdenden Beine bekommen einen extra Energiestoß, als wir die unsichtbare Linie zwischen relativer Normalität und völliger Zerstörung überqueren. Plötzlich, vielleicht achthundert Meter von den Tunneln entfernt, steht praktisch kein einziges Haus mehr.

Ich halte an, und wir starren schweigend auf die Stadt-wüste aus einer dicken, hügeligen Schicht von Schutt.

Anders als überall sonst im Streifen gibt es hier keine Lumpensammler, keine Fußgänger, und eine eigenartige Stille hängt in der Luft, untermalt von dem üblichen Sir-ren einiger Drohnen. Ich schaue in den wolkenlosen blauen Himmel und sehe drei, wahrscheinlich in Formation am südlichen Zaun entlang postiert. Ich habe sie noch nie so dicht zusammengedrängt gesehen wie jetzt.

Morgen. Fahr nicht weit. Versprich's mir.

«Was ist?», fragt Zoe.

Ich drehe mich zu ihr um und verwandle meinen Ge-sichtsausdruck in ein Lächeln. «Nichts. Willst du noch weiter?»

«Wohin?»

Wir sollten umkehren. Wir sollten nach Hause fahren. Irgendwas Todbringendes liegt in der Luft.

Wir *sollten*, aber ich kann jetzt nicht aufgeben.

«Ich zeig's dir.»

Wir steigen ab und laufen nebeneinander durch die Rui-nen, die von Möbelteilen, seltsamen Matratzen, Gardinen-fetzen, ein paar vergammelten Schuhen und Haufen nicht identifizierbarer Gewebe übersät sind. Mauersteine sind nach außen auf das Pflaster gefallen und verschmälern die Straße zu einer winzigen Schlangenlinie aus nacktem, stau-bigem Asphalt.

Eine fette Ratte jagt vor uns über den Weg, gefolgt von mehreren anderen, die alle in die entgegengesetzte Rich-tung laufen. Zoe legt ihre Hand auf meinen Unterarm, als wir stehen bleiben und den Boden absuchen, aber es tauchen keine weiteren auf, deshalb gehen wir weiter, weg von der Hauptstraße, etwas entlang, das früher wohl mal eine Wohnstraße war. Hier müssen lange Häuserreihen aus Backstein gestanden haben, doch es ist nicht mehr genug übrig, um sich vorzustellen, wie es hier vielleicht mal gewesen ist, oder um sich Menschen auszumalen, die hier tatsächlich gelebt haben.

Das Gebiet muss schon vor einer ganzen Weile zerstört worden sein, denn die meisten Trümmergrundstücke sind mit dichtem Unkraut überzogen, aber ein süßliches Gift scheint aus dem Schutt zu steigen, als ob das Massaker erst kürzlich stattgefunden hätte. Trotz der Leere spüre ich das beunruhigende Kribbeln menschlicher Anwesenheit, von Geisterbewohnern, die um ihr Leben fliehen oder ganz dicht neben uns liegen, unsichtbar unter den Schichten von Mauerwerk.

Dieser Ort schien bei meinem letzten Besuch gruselig, aber jetzt, mit einem weiteren drohenden Angriff im Nacken, pulst ein tödlicher eisiger Schauer durch diese Straßen.

Wir laufen weiter, an einem kompletten Kaminsims vorbei, der mitten auf der Straße steht wie auf einem zusammengestürzten Haus und dem sogar noch die TV-Antenne geblieben ist. Überall gibt es Katzen, die uns beäugen, während sie in den Ruinen umherstreifen und hoheitsvoll ruhig und gleichzeitig mörderisch wachsam wirken.

Als wir vor einem kurzen Stück Häuserreihe anhalten, das noch mehr oder weniger aufrecht dasteht, höre ich von irgendwo im Norden das Dröhnen eines vorbeifliegenden Kampfjets. Das ist nichts völlig Ungewöhnliches, aber auch nicht gerade alltäglich. Das Geräusch jagt mir einen Angstschauer über das Rückgrat.

Ich sage zu Zoe, dass das letzte der ausgebombten Häuser unser Versteck ist. Der größte Teil der Vorderfront ist weggesprengt und legt den Blick auf ein nacktes, zerstörtes Wohnzimmer frei, garniert mit den verbrannten Resten eines Sofas und zwei ausgehöhlten Sesseln. Ein verzogener und versengter Flachbildschirm-Fernseher hängt noch an der Wand, wenn auch in schiefem Winkel.

Mein Herz pocht so wild, dass ich Angst habe, Zoe könnte es hören. Trotz der Planung und Vorbereitung, die mich wochenlang beschäftigt hat, scheinen die Sehnsucht und die Vorfreude plötzlich in meinem Innern verklumpt, doch ich sehe keine Möglichkeit, umzukehren und zu verschwinden.

«Hier ist es», sage ich. Ich bin drauf und dran, ihr zu erklären, dass wir sofort weglaufen sollten, und zwar schnell.

Sie geht vor und nähert sich dem Haus. Ich stelle mein Fahrrad an einem halb verschütteten Eisengeländer ab und folge ihr. Unsere Schritte wirken unnatürlich laut auf den losen Ziegelsteinen, die unter unseren Füßen zusammenklacken.

Ein ferner dumpfer Schlag, kaum wahrnehmbar, bringt uns abrupt zum Stehen.

«Was war das?», fragt sie.

«Weiß nicht.»

Wir warten, ohne uns zu rühren, aber es folgen keine weiteren Explosionen.

Sie geht weiter auf das Haus zu, bewegt sich gleichmäßig über den unebenen Boden. Die Tür steht ein paar Zentimeter auf, genau so, wie ich sie verlassen habe, als ich den Ort auskundschaftete. Sie gibt erst nach, als Zoe fester drückt, und geht mit einem Scharren über die verzogene Bodendiele auf.

Ich folge Zoe in die trübe, abgestandene Luft des verlassenen Hauses. Im Flur ist alles dick mit Staub und Schutt bedeckt, doch es hängen noch Bilder an den dunkelgrünen Wänden: eine verblasste Kinderzeichnung von einem Esel und einem Engel, eine winzige Tuschzeichnung eines Bauernhauses mit Rauch, der aus dem Schornstein steigt, und ein gerahmtes Foto von drei grinsenden Kindern in Badezeug, die eine aus Sand geformte Meerjungfrau mit Haaren aus Seetang und Muschelschuppen präsentieren. Im Hintergrund, zwischen Sand und Himmel, ist ein Stück offenes Wasser zu sehen.

Zoe hebt das Foto von der Wand, hinter dem ein rechteckiges Stück unverblichene Tapete zum Vorschein kommt. Eine Weile starren wir beide wie gelähmt auf das Foto. Keiner von uns war je an einem Strand oder hat auch nur einen Fuß in ein Meer gesetzt. Wir haben keine Ahnung, was es für ein Gefühl ist, über Sand zu laufen, sich in eine Welle zu stürzen oder eine Meerjungfrau mit Haaren aus Seetang zu bauen. Du hast keine Ahnung von der Existenz solcher Dinge, bis du so ein Foto wie dieses siehst.

«Kannst du dir das vorstellen?», fragt sie.

Ich kann es nicht, und ich will es auch eigentlich gar nicht versuchen, deshalb nehme ich ihr das Foto sanft aus der Hand und hänge es wieder auf, dann führe ich Zoe nach oben, in das Zimmer, das ich für uns gefunden habe. Es ist leer bis auf einen Schrank aus Kiefernholz, einen Schminktisch mit geborstenem Spiegel und ein Doppelbett, das übersät ist mit Teilen vom Deckenputz.

Die Scheiben eines kleinen Erkers sind zwar geborsten, aber ein Vorhang hängt immer noch an einer teilweise losen Eisenstange. Am Fenster gibt es auch einen Sessel, der nach hinten umgekippt ist.

Zoe steht im Eingang und betrachtet das Zimmer mit einem unergründlichen Ausdruck, der alles von Zufriedenheit bis Entsetzen bedeuten kann.

«Ich habe ein Laken mitgebracht», sage ich und ziehe das stibitzte Teil aus meinem Rucksack.

Sie rührt sich nicht.

Ich hebe eine Ecke der Bettdecke an, ziehe sie langsam auf den Boden und falte sie vorsichtig zusammen, damit der Dreck drinbleibt. Ein blassblaues Laken liegt noch auf dem Bett. Ich kann die zwei Vertiefungen in der Matratze erkennen, die eine etwas tiefer als die andere. Mann und Frau, die vielleicht noch leben, vielleicht auch nicht.

«Lass uns das Laken drüberziehen», sagt Zoe.

Wir geben uns mehr Mühe als wirklich nötig, ziehen es stramm, glätten jede Falte. Ich weiß nicht, wer die Verzögerung verursacht, ich, sie oder wir beide.

Sie setzt sich auf das Bettende. Ich setze mich neben sie. Wir berühren uns nicht, und ich weiß nicht, was ich tun soll.

Auf dem Fußboden liegt Mäusekot.

Ich will die beharrliche, feige Beschwörung nicht hören,

die sich in meinem Hinterkopf breitmacht und mir erklärt, dass ich nicht hier sein möchte, mir sagt, dass das alles gefühllos ist, zu konstruiert, zu geplant und irgendwie kalt in diesem halb zerstörten Zuhause einer Familie, die vielleicht tot ist.

Durch das Schweigen hindurch, das zwischen uns hängt, spüre ich, wie Zoe das Gleiche denkt.

Ich bin es, der schließlich das Wort ergreift. «Mein Dad sagt, dass es einen Angriff geben wird.»

Zoe dreht mir den Kopf zu. «Wann?»

«Bald.»

Sie sieht mich ernst an. Nach einer Weile sagt sie: «Du zitterst.»

«Ja?»

Erst jetzt merke ich, dass ein schwaches, kaum wahrnehmbares Beben meinen Körper erfasst hat. Das ist mir vorher noch nie passiert. «Ich bin traurig», sage ich.

Sie legt eine Hand auf meine Wange. «Sei nicht traurig», sagt sie.

«Ich bin traurig wegen dem hier», füge ich hinzu und meine die düstere Atmosphäre des Zimmers, mache aber keine Anstalten, es ihr zu erklären. «Ich bin traurig wegen allem. Ich ...»

Ich verstumme, als Zoe mich an sich zieht, beide Arme um meinen Kopf schlingt und mich seitlich an ihren Hals drückt.

Langsam, während sie mich so hält, lässt das Zittern nach.

Ich atme sie ein. Ich atme sie aus. Meine Arme fassen

um ihre Taille, und ich ziehe sie enger an mich, küsse die weiche Haut in ihrem Nacken, werde von einer Welle der Erleichterung und Dankbarkeit überspült, von dem warmen, besonderen, einlullenden Gefühl, verstanden, umsorgt, ja vielleicht sogar geliebt zu werden.

Langsam, als ich wieder ihre Lippen küsse, fange ich an, mich leicht zu fühlen, ohne Last, ohne Gewicht, und dann, ohne zu wissen, wieso ich es tue, hebe ich ihren schiefen Pony an und fahre mit den Lippen, Kuss um Kuss um Kuss, über die Narbe.

Unsere Körper kippen nach hinten aufs Bett, und jeder Gedanke, jede Angst, jede Besorgtheit löst sich auf.

Als meine Hand zwischen ihre Beine gleitet, fasst sie nach unten, nicht, wie beim letzten Mal, um mich wegzustoßen, sondern um ihre Finger über meine zu schieben, mich zu führen, mich zu verlangsamen, den Druck meiner Berührung abzuschwächen, bis ihr Körper sich löst, nachgibt, sich in etwas Fließendes und Biegsames verwandelt, mit der Entschlossenheit und dem Drang, mehr zu machen, weiterzugehen.

Ich fummle panisch nach dem Kondom, das ich in der Gesäßtasche meiner Jeans mitgebracht habe, dann bin ich über ihr und frage mich einen Moment lang, ob das alles wirklich passiert. Ihre Augen starren in meine, scheinbar fest fokussiert auf eine Stelle tief im Innern meines Schädels, sehen mich an, in mich hinein und durch mich hindurch. Sie führt mich in sich ein.

Ich habe das Gefühl, als ob jeder Nerv gleichzeitig feuert, als ob mein Inneres nach außen gewendet wird, es ist wie stürzen und fliegen – ein wilder, unendlicher Song des Lebens.

Das Universum jenseits des Bettes hört auf zu existieren.

Zusammengeschlossen heben wir ab, explodieren, sinken nach unten.

Schlaf breitet sich über unsere ineinander verschlungenen Körper.

Die Morgendämmerung sickert durch die Fenster, als die Welt ihren Weg zu uns zurück findet. Es ist die grausamste, brutalste Verwandlung. Die Stille unseres geheimen Zimmers in diesem verlassenen Haus in einer leeren Straße wird zerstört von dem ohrenbetäubenden Brüllen eines tieffliegenden Jets und der nachfolgenden Explosion, die so laut und so nah ist, dass es uns von der Matratze reißt.

Als ein weiterer Jet vorbeidonnert, werfen wir uns unters Bett. Zwischen den Explosionen klingelt in meinen Ohren ein schrilles Kreischen des Protests.

Mein Kopf versucht eilig, sinnlose Überlegungen anzustellen. Unten gäbe es mehr Schutz, wenn wir direkt getroffen würden, oben wäre die Chance geringer, verschüttet zu werden, wenn das Haus zusammenbricht. Zoe zieht mich zu sich. Ich strecke einen Arm über ihren Rücken und drücke ihre Hand. Ein keuchendes, den ganzen Körper erschütterndes Schluchzen steigt bei jedem Atemzug aus ihrer Kehle. Ich wünschte, wir wären nicht nackt. Ich wünschte, wir wären nicht hier. Ich wünschte, ich hätte auf meinen Vater gehört.

Der Angriff geht immer weiter, jede Explosion ein ohrenbetäubender diabolischer Hammerschlag, der uns durch die Bodendielen trifft.

Als sich die Stille herabsenkt, bleiben wir unter dem Bett liegen, zitternd vor Angst und Kälte. Ich bin der Erste, der drunter hervorkriecht.

Eilig ziehe ich mich an und schleiche geduckt zum Fenster. Inzwischen ist es dunkel, auch wenn ein paar herabfallende Leuchtsignale den Himmel erhellen. Die Straße draußen wirkt unverändert, doch nachdem hier ohnehin nur noch Trümmergrundstücke existieren, ist schwer zu sagen, ob in der Nähe irgendwas eingeschlagen ist.

Die Dunkelheit wird dichter, als das letzte Leuchtsignal verglüht. Ein glitzernder Himmelsbogen flackert in einem schwachen orangefarbenen Schein, angeleuchtet von Feuern, die für uns nicht zu sehen sind. Das einzige weitere Licht stammt von hoch oben, von diesen arglistigen kreisenden Punkten, den bösen Sternen des Streifens.

Zoe kriecht unter dem Bett hervor und zieht sich mit zitternden Händen an.

«Sie haben die Tunnel angegriffen», sage ich. Meine Stimme klingt blechern und fremd von dem anhaltenden schrillen Klingeln in meinen Ohren. Allmählich höre ich einen Schwall von Sirenen, doch meine Sinne sind zu angeschlagen, um zu unterscheiden, wie viele es sind oder wohin sie sich bewegen.

Zoes Gesicht ist bleich, leer, als ob das Leben in ihr verlöscht wäre. Ihre Augen sind glasig, die Lippen farblos. Ich weiß nicht, ob sie mich gehört hat oder mich überhaupt sieht.

«Bist du okay?», frage ich.

Ich merke, dass sie sich am Bettende festklammert, scheinbar unfähig, ohne Halt aufrecht zu stehen.

«Bist du verletzt?»

Sie schüttelt den Kopf, ganz langsam, und starrt an mir vorbei durch die Fenster hinaus in den leuchtenden Himmel.

«Wir sollten gehen», sage ich.

Sie antwortet nicht. Ich trete auf sie zu, lege ihr meine Hände auf die Schultern und stelle mich so dicht vor sie, dass sie den Blickkontakt nicht vermeiden kann, doch sie sieht durch mich hindurch.

«Zoe?», frage ich

«Mein Vater ist tot», antwortet sie mit flacher, leiser Stimme, die ich kaum wiedererkenne. «Hab ich dir das erzählt? Es war bei dem Angriff, der unser Haus zerstört hat. Wir andern sind rausgekommen. Hab ich dir das erzählt?»

«Ja, du hast gesagt –»

«Sie haben wieder und wieder Pläne diskutiert, wie man während eines Angriffs schlafen soll. Sie haben gestritten, ob man besser abhaut oder bei seinen Angehörigen bleibt, ob diese oder jene Gegend sicherer ist. Jede Nacht haben sie die gleiche Diskussion geführt, noch mal und noch mal. Wenn sie damit fertig waren, in welchem Haus man schlafen sollte, ging der Streit darum, in welchem Zimmer. Aus welcher Richtung würden die Bomben kommen? Sollten wir alle zusammenbleiben oder uns aufteilen? Dad wollte, dass ich mit ihm auf die eine Seite des Hauses ging und Mum mit meinem Bruder auf die andere, um das Risiko zu verteilen, die Chance zu vergrößern, dass wenigstens ein paar von uns einen Treffer überlebten. Mum wollte, dass wir alle zusammenblieben. Ich sollte eigentlich bei ihm sein, doch in der Nacht bekam ich Angst und lief zu Mum. Ich hätte bei ihm bleiben sollen. Ich sollte tot sein. Vielleicht hätte ich ihm helfen können. Keine Ahnung. Wir rannten einfach um unser Leben, und er kam nicht raus. Mum schrie und grub mit bloßen Händen. Er kam nicht raus.»

Ich halte sie fest, während sie spricht, doch ihr Körper ist starr und steif, als wenn sie sich gegen einen Sturm stemmen würde. Selbst als sie schweigt, löst sich ihr Körper nicht oder reagiert auf meine Berührung. Ich merke, dass ich für sie so gut wie nicht da bin.

«Wir müssen los», sage ich schließlich. «Wir müssen hier raus.»

Ich reiche ihr die Jeans, die sie noch nicht angezogen hat, und helfe ihr hinein. Ich setze sie hin, ziehe ihr Socken und Schuhe an, binde ihr die Schnürsenkel zu und führe sie an der Hand aus dem Zimmer.

Sie erstarrt am Absatz der Treppe wie in Angst vor der Steilheit.

«Komm schon», sage ich. «Du schaffst das.»

Sie schüttelt den Kopf, und ich merke, dass sie zittert, dass sie die Kontrolle über ihren Körper verliert. Ich drehe mich um, schließe sie in meine Arme und hebe sie hoch.

Sie ist schwer wie eine Tote und versperrt mir die Sicht, deshalb schiebe ich mich vorsichtig nach unten, taste mit dem ausgestreckten Bein nach den Treppenstufen wie ein Blinder mit einem Stock. Kurz vor dem Ende der Treppe gibt ein Bodenbrett unter uns nach, und wir stürzen fast, doch ich kann mich gerade noch an einem Geländer festhalten. Zoe bleibt steif, scheinbar ohne den Beinahsturz zu bemerken. Ihr Gesicht liegt heiß an meinem Hals.

Wir quetschen uns durch die klemmende Haustür, und ich trage sie nach draußen, stolpere in der Dunkelheit über den unebenen, wackligen Boden.

Als ich sie absetze, habe ich zuerst Angst, dass sie in sich zusammensacken wird, doch es gelingt ihr, aufrecht stehen zu bleiben, während ich mein Fahrrad hole, und danach neben mir herzulaufen. Sie taumelt wie eine Schlafwandlerin, als ich sie durch die welligen Schatten der zerstörten Straße führe, zurück zur Hauptstraße. Über uns scheinen die Lichter der Drohnen schnell und in niedriger Höhe zu kreisen. Ein polyphones Sirenengeheul erfüllt die Luft, es kommt aus allen Richtungen, aber ich höre keine Bombeneinschläge mehr. Die Kampfjets scheinen fürs Erste verschwunden.

Als wir auf die Brixton Road biegen, lege ich meine Hände behutsam an Zoes Wangen und versuche, sie dazu zu bewegen, mich anzusehen.

«Wir müssen aufs Fahrrad steigen», sage ich. «Schaffst du das?»

Sie nickt, doch ich bin immer noch nicht sicher, ob sie mich wirklich hört.

Wir steigen versuchsweise auf, Zoe setzt sich in die richtige Position, aber ihr Griff um meinen Rücken ist schwach, die Gleichgewichtssuche unsicher, und ich komme nur wenige Meter voran, ehe wir umkippen. Ich steige ab, stabilisiere den Rahmen unter ihrem schwankenden Körper und spreche wieder mit ihr, lauter, mit einem Anklang von Schärfe in meiner Stimme. «Zoe. Die Flugzeuge können zurückkommen. Wir müssen hier weg! Ich kann nicht fahren, wenn du dich nicht festhältst. Ich schaff das nicht.»

Sie nickt vage, immer noch weit weg.

Ich küsse sie auf ihre kalten, blassen Lippen.

Endlich Blickkontakt. Sie nickt erneut, und diesmal zeigt sie einen Hauch von Verstehen.

Ich steige wieder auf den Sattel, und wir fahren von neuem los, diesmal klappt es besser. Während wir heimfahren, sehe ich, dass die Straßen, die auf der Fahrt Richtung Süden belebt waren, jetzt völlig ausgestorben sind, bis auf ein paar vorbeijagende Krankenwagen. Meine Beine schmerzen, obwohl wir noch kilometerweit von zu Hause entfernt sind.

Wir haben aber keine Zeit zum Stehenbleiben, keine Möglichkeit, Schutz vor den Drohnen zu suchen, die uns längst gesichtet haben müssen. Ich kann mir ausmalen, wie wir auf dem Bildschirm von irgendeinem Piloten irgendwo zu sehen sind – die einzigen Idioten, die während eines Luftangriffs auf der Straße unterwegs sind, ein unglaublich verlockendes Ziel, wie ein einzelnes übriggebliebenes Popcorn, das darum bettelt, gegessen zu werden. Meine Anstrengung und Verzweiflung müssen für jemanden, der fähig ist, mich mit einem Knopfdruck auszulöschen, vollkommen sinnlos wirken, geradezu lächerlich.

Weiter vorn, in der Nähe des Flusses, schießt ein Streifen weißes Licht durch den Himmel. Es beginnt im Streifen und biegt dann in einem Bogen nach Osten über den Zaun. Eine Rakete. Keine Rakete wie die riesigen Bombenlasten an einem Kampfjet, aber immerhin eine Waffe, nicht weniger tödlich, obwohl Marke Eigenbau. Das ist die Antwort, der Gegenschlag des Corps – die nächste Stufe der Retourkutsche. Auch da draußen, hinter dem Zaun, werden jetzt Menschen rennen und Schutz suchen.

«Das ist hier nicht sicher», sage ich und werfe einen Blick nach hinten zu Zoe, was das Fahrrad zum Schwanken bringt. Sie starrt mit leeren Augen auf meinen Rücken. «Lass uns nach Waterloo fahren und irgendwo unter dem Bahnhof Schutz suchen. Okay?»

Sie antwortet nicht.

Es ist der längste Kilometer, den ich je mit dem Fahrrad zurückgelegt habe. Jede Sekunde erwarte ich, den unentrinnbaren Feuerstrahl einer Hellfire-Rakete zu sehen, die auf mich zutrudelt. Doch wir schaffen es.

Ich lasse das Fahrrad auf den Gehweg fallen und schleppe ihren schlaffen Körper in einen der Eisenbahnbögen aus mit Graffiti besprühtem viktorianischem Backstein, die tief hineingeschnitten sind in eine weit oben über uns wegführende Konstruktion von sich kreuzenden Brücken. Endlich sind wir vor den Drohnen versteckt, geschützt vor den Raketen.

Ich frage Zoe nach ihrem Handy, um meinen Eltern zu sagen, dass ich in Sicherheit bin, doch als sie es mir gibt, hat es keinen Empfang. Ich erinnere mich, dass es auch beim letzten Mal während der Angriffe oft kein Netz gab – von außen blockiert oder einfach überlastet, wer weiß das schon.

Ich gebe ihr das Handy zurück, doch sie steckt es nicht

ein, sondern steht nur da, mit dem Handy in ihrer ausgestreckten Hand, und starrt hinaus auf die dunkle, leere Straße. Auch ihre Familie, tief unter der Erde, ist nicht zu erreichen.

«Alles okay?», frage ich.

Sie antwortet nicht.

«Wir sind rausgekommen», sage ich. «Wir sind in Sicherheit. Wir können die Nacht hier verbringen.»

Sie sieht mich nicht an, ihr Gesicht ist reglos, ihr Atem geht langsam und gleichmäßig, doch dann rinnen Tränen über ihre Wangen. Zoe macht keine Anstalten, sie abzuwischen.

Ich habe noch nie einen Menschen so weinen sehen, als ob es gar nicht geschieht, als ob die Tränen getrennt sind von jedem Empfinden. Ich sehe sie entsetzt an und spüre, dass sie nicht berührt oder auch nur angesprochen werden will.

«Komm», sage ich und führe sie an der Hand zur Rückwand des Eisenbahnbogens. Die hinterste Ecke ist mit flachgetretenen Pappkisten ausgelegt, auf denen jemand geschlafen hat, doch das provisorische Bett hat Flecken einer dunklen Flüssigkeit und gibt einen beißenden, in der Nase zwickenden Gestank von sich. Der Boden ist mit Bierdosen, Essensverpackungen, Taubenfedern und Vogelmist übersät, deshalb schiebe ich ein Stück an der Wand mit dem Fuß frei, abseits des schlimmsten Miefs.

Ich setze mich, ziehe sie zu mir runter und lege ihren Kopf in meinen Schoß. Ich fühle mich erschöpft, aber ausgesprochen wach, straff gespannt wie eine Klaviersaite. Mit den Händen, die ich um Zoe gelegt habe, spüre ich, wie sie in einen Zustand sinkt, der weder Schlaf noch Wachsein ist. Ich lausche auf jedes kleinste Geräusch und warte auf den nächsten Ansturm, der weitere Stücke aus meiner Stadt reißen wird. Der erste Angriff war nur der Anfang – das erste Räuspern des Krieges, bevor er mit voller Wucht in sein dämonisches Lied ausbricht.

Ich habe noch nie eine Nacht außerhalb von zu Hause verbracht, ohne dass meine Eltern wussten, wo ich stecke. Dad wird klar sein, dass ich seine Warnung ignoriert habe, dass ich ihn angelogen habe, und mit jeder Stunde, die ich nicht zurückkomme, wird er überzeugter sein, dass ich getötet wurde. Ihm diese Qual zuzufügen, tut mir so leid, dass ich am liebsten die Deckung aufgeben und mich nach Hause durchschlagen würde, nur um ihm zu zeigen, dass ich noch lebe, doch ich muss hierbleiben. Dafür zu sterben, wäre der Wahnsinn.

Die Stunden kriechen dahin, unsere beiden Körper zittern gemeinsam, als die Kälte aus der alten, feuchten Backsteinmauer in unsere Knochen sickert. Nach dem Angriff auf die Tunnel erfüllt eine bedrohliche Ruhe die Stadt. Ich hör nur Sirenen, ferne Alarmanlagen, sirrende Drohnen und das gelegentliche Jaulen einer abgefeuerten Rakete. Das übliche Hintergrundgeräusch des Verkehrs ist weg. Alle müssen die Nacht in Schutzräumen ausharren und warten, dass der nächste Angriff kommt.

Ich erwarte ständig, das Kreischen der anfliegenden Kampfjets zu hören, zu spüren, wie der Boden erzittert, wenn die Bomben einschlagen, doch die Nacht schleppt sich hin, und das Schwert saust noch nicht herab.

Lange vor der Morgendämmerung läuft ein Fuchs lässig und unbekümmert über die Straße. Er bleibt stehen, wittert mich vielleicht, und wir starren einander an. Zwei Fuchsaugen funkeln aus dem Schatten. Für einen Moment habe ich den albernen Wunsch, dass er herüberkommt und die Nacht bei uns unter dem Eisenbahnbogen verbringt.

Kurz hebt sich sein schwer wirkender Schwanz, dann wendet sich der Fuchs ab und verschwindet auf leisen Sohlen aus meinem Blick.

Ich versuche, es als Zeichen zu sehen, als Segen, als Vereinigung mit einer höheren Macht. Seine Ruhe und Eleganz wirken wie eine Erscheinung aus einer anderen Welt, aus einem Paralleluniversum, in dem Krieg eine vorübergehende Unannehmlichkeit ist wie ein Gewitter oder eine Flutwelle, doch ich weiß, in meinem Herzen gibt es kein Anzeichen, und die höhere Macht, die entscheidet, ob eine Bombe dich findet, ist bloß simples Glück.

Glück ist hier geradezu ein göttliches Wesen: ein herzloser Gott, der sich einen Scheiß darum kümmert, ob du gesündigt oder gebetet, deinen Eltern gehorcht oder deinem Nächsten geholfen hast. Wenn er Lust hat, holt er dich, und damit fertig.

Ich schaue auf Zoe hinab. Ihre Augen sind geschlossen, doch ihr Körper ist steif und angespannt. Falls sie schläft, dann nur ganz leicht. Ich küsse sie auf die Stirn. Sie rührt sich nicht. Ich drücke meine Lippen in ihre Haare und atme ein.

Für einen kurzen Moment blitzt die Erinnerung an unseren Nachmittag auf diesem weißen Laken vor meinem inneren Auge auf, wie sie den Kopf nach hinten beugte und ihr Kinn von Schweißperlen glänzte, ihr Mund leicht geöffnet nach Luft schnappte.

Ich atme noch einmal ein und befördere mich tiefer in diesen verschwundenen Moment, der noch so frisch ist, sich nun aber auf der anderen Seite einer angsteinflößenden Schlucht befindet.

Wenn ich sie weiter einatme, kann ich versuchen, die Gegenwart zu überwinden, diesen Steinbogen, so weit von zu Hause entfernt, diesen Gestank nach Urin, diesen Schmerz im Rücken und in den Beinen, die Angst, die mein Blut gefrieren lässt. Ich muss die Zeit zurückdrehen, sie zurückspulen und mein Leben anderswo anhalten. Dann schaffen wir es vielleicht bis zum Morgen.

DIE BASIS

Am Sonntag geht es wieder spät los – vier Stunden später als meine übliche Schicht –, doch ich schaffe es trotzdem nicht auszuschlafen. Um sieben schlage ich die Augen auf und merke sofort, dass ich zu aufgeregt bin, zu aufgedreht, meine Chance zu meistern, als dass ich noch einmal einschlafen kann. Dies ist der Tag. Die Krönung dessen, worauf ich hingearbeitet habe. Keine Simulatoren mehr. Keine Überwachungs- und Aufklärungsflüge mehr. Kein Beobachten und Warten mehr. Ein Reaper MQ-9 wird bereits draußen über dem Himmel Londons fliegen, bewaffnet und in Stellung, bereit für eine Gefechtsmission mit mir am Steuergerät.

Wenn der ängstliche und gemobbte Alan das hätte vorhersehen können, wär alles anders gewesen. Wenn jemand mir gesagt hätte, dass dieser Tag, ein paar Jahre nachdem ich die Schule verlasse, kommen würde, hätte ich alles mit links geschafft, gestählt durch das Wissen, bald Erfolg zu haben.

Ich liege eine Weile still da und aale mich in den Gedanken über den bevorstehenden Tag, doch ich bin zu unruhig, um noch lange im Bett zu bleiben, und halte die Vorstellung nicht aus, meiner Mutter zu begegnen, deshalb dusche ich, ziehe meine Uniform an und mache mich auf den Weg in ein Café.

Es gibt nichts Besseres, als gemächlich sein Frühstück zu genießen, die Zeitung durchzublättern, träge zu sein, ohne es wirklich zu sein, sich mit allem Zeit zu nehmen im Wissen, dass du einen strammen Tag vor dir hast. Wenn du in Uniform auftrittst, bekommst du immer einen guten Service und die größten Portionen, die du je gesehen hast.

In der Basis, wo alle das Gleiche tun, fällt es leicht zu vergessen, was für ein Opfer es bedeutet, seinem Land zu dienen. Man muss erst unter Zivilisten gehen, um zu spüren, wie dankbar die Menschen sind. Extrabratwürstchen und Kaffeenachschenken, sooft man will, sind ehrlich gesagt das mindeste, was ich verdiene. Nur sentimentale Träumer wie meine Mutter denken anders darüber.

Ich gehe früh in die Basis und gönne mir eine gute Stunde im Kasino, um mit ein paar Jungs abzuhängen und mich vorzubereiten. Es ist nicht gut, zu heiß auf die Sache zu sein. Adrenalin hilft nicht, wenn man eine bewaffnete Drohne fliegt. Man hat es mit extremen Geschwindigkeiten und präziser Zielerfassung zu tun, mit Steuerungselementen, die perfekt agieren, aber auf jedes leiseste Zucken sofort reagieren. Es ist eine akribische, feinfühlige Arbeit. Man muss wie ein Formel-1-Fahrer und gleichzeitig wie ein Silberschmied sein. Man braucht Fokussiertheit, Geschick und einen kühlen Kopf.

Die Atmosphäre unter den Männern, die auf ihre Schicht warten, ist angespannt. Ein paar von den Älteren sitzen in Gedanken versunken still da, andere stehen in laut schwatzenden Gruppen und reißen Witze, aber jeder scheint irgendwie hellwach und einsatzbereit.

Ich hole mir einen Becher Kaffee und laufe umher, meide die lautesten Gruppen, scanne den Raum nach Victoria. Ich muss mit ihr reden, irgendeine Art von Entschuldigung vorbringen, aber ich weiß noch nicht recht, was ich sagen soll, und es fühlt sich zu früh an. Ich bin bereit zu gehen, wenn ich sie sehe, aber sie scheint gar nicht da zu sein. Ein paar der Piloten aus meiner Lunch-Gruppe winken und geben mir Zeichen, mich an ihren Tisch zu setzen, doch ich winke nur zurück, weil ich spüre, dass ich leicht zittre und mir fast schlecht ist. Ich hätte weniger Kaffee trinken sollen.

Ich gehe zum Fenster, schaue hinaus und sehne mich plötzlich nach Einsamkeit, umklammere meinen Becher mit beiden Händen, beschließe aber, kein Koffein mehr zu trinken. Eine Windböe löst die Blätter eines einzelnen von Blüten überladenen Baums und schickt weiße Gestöber über ein rechtwinkliges Stück Rasen. Ein kleiner Vogel pickt im Boden nach Würmern. Die Spiegelung im Glas lässt es aussehen, als ob Reihen von neonleuchtenden Schläuchen über den graublauen Himmel gezogen wären.

Wallis kommt, zehn Minuten bevor wir im Flugraum sein sollen, und geht direkt auf mich zu. Einen seltsamen Moment lang denke ich, wir könnten uns zur Begrüßung von neuem umarmen, doch dann greift er nach meiner Hand, um sie zu schütteln.

«Bist du startklar?», frage ich.

Er nickt.

«Irgendwelche Infos?», fragt er nach einem Schweigen.

Ich zucke mit den Schultern. «Joystick-Heroes bekommen doch nie irgendwelche strategischen Infos. Unser Job ist es bloß, die Knöpfe zu drücken.»

Trotz aller Nähe, die wir am Tag zuvor aufgebaut haben, scheint es nicht viel zu sagen zu geben, deshalb schlage ich vor, in den Flugraum hinüberzugehen.

Ich lass ihm ein paar Schritte Vortritt, damit es nicht komisch aussieht, dass wir nicht miteinander reden. Seine Stiefel geben bei jedem Schritt ein leises mäuseartiges Quietschen von sich. Auf dem ganzen Weg springen meine Gedanken hin und her zwischen der Frage, ob Wallis mich mag, und meinem Ärger, dass ich mir darüber den Kopf zerbreche.

Um Punkt zwölf wechseln wir mit der Crew, die ihre Schicht beendet.

«War irgendwas?», frage ich den Piloten, der meinen Platz räumt, einen Typen mit blondem Haar und einem ovalen Muttermal unter dem linken Auge. Ich hab mich schon früher ein paarmal mit ihm unterhalten, aber den Namen weiß ich nicht mehr.

Er schüttelt den Kopf, während er das Kabel des Headsets aufwickelt und mir einen Klaps auf die Schulter gibt. Er ist eindeutig frustriert, dass er den Platz verlassen muss, bevor es so richtig losgeht, und ich kann nicht behaupten, dass ich ihm das verüble.

Sobald ich auf dem noch warmen Stuhl Platz genommen habe, bekomme ich über das Headphone ein kurzes Briefing. Ich bin auf einer bewaffneten MQ-9 mit identischer Bedienung wie gestern im Simulator. Wir beobachten ein bewegungsloses Ziel im Süden des Streifens. Die Angriffs-bereiche sind identifiziert, letzte Gegen-Checks werden noch gerade durchgeführt. Der Plan ist, sämtliche Versorgungstunnel des Corps mit einem Angriff zu zerstören. Die Eingänge sind auf mehrfache, undurchsichtige Weise versteckt, doch durch wochenlange Überwachung wurden die zentralen Orte aufgestöbert. Offen ist jetzt nur noch das richtige Timing. Als die Freigabe kommt, erledigt ein Kampfjet-Angriff die Hauptarbeit. Meine Aufgabe ist es aufzuwischen. Jeder im Zielbereich ist ein angenommener Terrorist und zum Abschuss freigegeben.

Unter allen Trainingsszenarien, die wir durchgespielt haben, ist dieses das einfachste, aber zu wissen, dass diesmal alles real ist, erzeugt doch ein gewisses Prickeln in meinen Fingerspitzen. Ich tue nichts, was ich nicht vorher auch getan habe, wieder und wieder, aber bei jedem Mal früher habe ich bloß elektrische Impulse durch die Speicher der Mikrochips geschickt. Wenn ich diesmal den Auslöseknopf drücke, wird Treibstoff gezündet, und eine Fünfzig-Kilogramm-Rakete mit fragmentierender Bombenhülle jagt durch die Luft in Richtung Menschenfleisch.

Ich leite die üblichen Systemchecks ein, und ein nervöses Lächeln macht sich in den Mundwinkeln bemerkbar. Doch es dauert noch lange, bis es wirklich beginnt. Ich beobachte, was aussieht wie eine verfallene Werkstatt. Niemand geht ein oder aus. Wenn ich nicht wüsste, was bevorsteht, wäre das hier der langweiligste Tag aller Zeiten.

Dann kommt über Kopfhörer die Ansage, dass es in zehn Minuten losgeht. Ich drehe mich zu Wallis um und frage ihn, ob er bereit ist.

Er wirft mir einen Blick zu und nickt nur ganz leicht. Sein Gesichtsausdruck gibt nichts preis.

Ich nehme die Wasserflasche, und als ich den Deckel öffne, wird mir bewusst, dass das Nächste, was meine Hände tun werden, das Auslösen einer absolut tödlichen Waffe ist.

Minuten vergehen, und nichts rührt sich auf meinem Bildschirm, dann, urplötzlich, ist die Werkstatt weg. Sie ist so vollständig ausradiert, dass es, als sich der Staub schließlich legt, so gut wie kein Anzeichen gibt, dass sie je existiert hat. Niemand kommt zum Vorschein. Ich zoome mich weg, vergrößere den Zielbereich und kreise über der Gegend, in der zunächst nicht viel mehr als die treibenden Staubwolken anderer Explosionen zu sehen sind, bis plötzlich eine taumelnde Gestalt auf dem Bildschirm erscheint, die versucht, eine von Kratern und Schutt übersäte Straße entlangzulaufen. Ich weiß nicht, woher der Typ kommt und wo er hin will, doch er sieht nach einem Mann im militärtauglichen Alter aus, also habe ich die Genehmigung.

Wallis zoomt an ihn heran, und ich feure und lenke die Rakete exakt auf den Punkt. Es ist ein perfekter Bug Splat. Keine Frage, dass der Typ gegrillt ist, als der Staub sich verzieht.

Während ich auf den Bildschirm starre, gebannt von der Zerstörungskraft meiner Handlung in dieser weit entfernt liegenden Straße, jagt eine Welle der Erleichterung durch meinen Körper. In meinem ganzen Leben habe ich in entscheidenden Momenten unter Druck stets versagt. Je intensiver ich mich vorbereitete, desto wahrscheinlicher war es, dass mir mein Ziel versagt blieb, denn wieder und wieder habe ich in den zentralen Momenten nervöse, dumme Entscheidungen getroffen. Ich habe immer Angst gehabt, dass ich innerlich zu labil bin, um in diesem Job und überhaupt in allem richtig erfolgreich zu sein. Doch diese Aufgabe hier, dieses ernste, gottähnliche Vorhaben, einen anderen Menschen, einen Feind meines Landes, auszulöschen, ist erfüllt. Ich bin also doch nicht zu schwach und labil.

Ich wusste, dass ich das Training schaffen würde, doch erst jetzt, nach dem ersten Töten, kann ich mir meiner Fähigkeiten wirklich sicher sein. Ich habe Jahre gebraucht, um es so weit zu schaffen, jetzt bin ich angekommen. Ich habe Blut an den Fingern.

Den Rest meiner Schicht überwache ich die Gegend, suche nach weiteren gefährlichen Typen, um sie zu vernichten, doch es passiert nichts mehr.

Der Augenblick, als die neue Crew kommt, um uns abzulösen, fühlt sich an wie ein Wachrütteln. Ich habe durch diesen Bildschirm gelebt, schwerelos und omnipotent, so eins mit meiner Aufgabe, dass es mir fast vorkommt, als hätte ich mich aus mir selbst befreit, hinein in das Reich des Fliegens, als wenn sich mein Körper in diesem stillen, klimatisierten Raum aufgelöst und in einen Raubvogel verwandelt hätte.

Als ich mich ausstöpsele und aufstehe, erwacht in meinem Hirn nur sehr träge wieder die Fähigkeit, mich wie ein

Mensch zu bewegen: Das da sind deine Beine, so streckst du sie, die Schwerkraft wird dich nach unten ziehen …

Der neue Pilot fragt mich etwas, das ich nicht einmal höre. Einen Moment lang schwanke ich auf meinen Füßen, unvorbereitet auf direkte Interaktion.

Ich knurre eine vage Nichtantwort und gehe an Wallis' Seite hinaus. Nach der gedämpften, intensiven Atmosphäre im Flugraum wirkt der weiße Flur derart hell, dass wir blinzeln müssen.

Einen Moment lang schauen wir uns an, ehe wir einander wortlos die Hand schütteln. Er sieht so aus, wie ich mich fühle: die Augen aufgerissen, betäubt, beschwingt.

«Bis morgen», sage ich und löse meine Hand aus seinem Griff.

«Yep.»

Er geht und läuft breitbeinig, in der schweren, ungleichmäßigen Gangart eines ehemaligen Sportlers, den Flur entlang. Seine Stiefel quietschen. Er ist genau dieser Typ, der mir in der Schule das Leben zur Hölle gemacht hätte, doch jetzt sind wir Partner, Soldaten, Kampfgefährten.

Ich trete hinaus in die erleuchtete, abgetrennte Raucherzone, auch wenn ich gar keine Zigarette will, sondern nur einen Grund, still zu stehen, allein zu sein und tief durchzuatmen.

Der Funke des Zündsteins in meinem Feuerzeug schafft eine ordentliche, perfekte Flamme, blau im Innern, umgeben von einem Orange. Ich halte sie eine Weile vor mein Gesicht und bewundere ihre einfache Schönheit. Der Tabak knistert kurz, als ich schließlich die Zigarette anzünde.

Ich blase den ersten Rauch in Richtung Himmel. Es ist eine bewölkte Nacht, nur ein paar Sterne schimmern schwach durch das Dunkel. Über meinem Kopf wirft sich eine Mottenschar unerbittlich dem Flutlicht entgegen. Es ist so still, dass ich das Schlagen ihrer Flügel gegen den heißen Kunststoff höre.

Während ich einen weiteren in der Kehle beißenden Zug von der Zigarette nehme, ertappe ich mich bei der Frage, ob ich jetzt, nachdem ich jemanden getötet habe, ein anderer Mensch bin.

Das müsste doch ein ganz neues Gefühl sein, aber fühle ich in diesem Augenblick eigentlich überhaupt irgendwas? Wenn die zwei fast identisch aussehen, wie soll ich dann eine Antwort auf den Wechsel von Pixellöschen zu Haut-und-Knochenzerstören finden?

Ich weiß, ich sollte eine emotionale Reaktion auf das zeigen, was ich getan habe, doch ich habe keine Ahnung, wie diese Reaktion aussehen sollte. Schuldgefühle? Triumph? Trauer?

War das Zersprengen von Gliedmaßen auf meinem Bildschirm *wirklich* ein Mensch, der am Morgen zu seinem letzten Tag auf der Erde erwacht ist? Mit wem hat er gefrühstückt? Hoffen die Leute immer noch, dass er zurückkehren wird? Wann wird seine Leiche gefunden, wann wird es seine Familie erfahren? Weint jetzt gerade jemand um ihn, weit von mir entfernt, während ich hier stehe und rauche?

Wer ist der Held, ich oder er oder keiner von uns?

Immer mehr Fragen kommen hoch, doch ich habe keine

Antworten, keine Idee, keine Vorstellung, was ich denken oder empfinden soll.

Ich habe einen Mann getötet. Diese Tatsache hängt hohl vor mir wie ein greller Ballon, der nichts bedeutet, mir nichts sagt, mir keine Antworten gibt.

Ich kann nur die Veränderung in mir feststellen, die sich darin zeigt, dass ich in meinem Körper kein Gefühl von Schwere mehr spüre. Als ich die halbgerauchte Zigarette austrete und den Raucherbereich verlasse, fühle ich mich immer noch leichter, als es sein müsste, nicht wirklich vorhanden, in Teilen abgehoben vom Boden, obwohl meine Schritte auf dem Weg durch das gedämpfte Dunkel der Basis im losen Kies knirschen und merkwürdig laut, eigenwillig deutlich klingen.

Während ich auf dem stillen, menschenleeren Parkplatz stehe und den kühlen Motorradhelm über meinen Kopf streife, kehrt eine vage Erinnerung aus einer fernen Kindheit zu mir zurück, wie ich hochschaue, plötzlich merke, dass alle weg sind, und nicht weiß, wohin.

DIE STADT

Ich muss schließlich eingeschlafen sein, denn ein niedrig stehender morgendlicher Lichtstrahl weckt mich. Eine einzelne Alarmanlage heult penetrant irgendwo ein Stück weiter die Straße rauf, aber Bomben und Sirenen gibt es nicht.

Zoe ist wach, steht vorn an dem Eisenbahnbogen und starrt reglos die leere Straße entlang. Eine Hand in die Taille gestützt, hält sie ihr Gesicht in die Sonne, die einen hellen Schein in ihre Haarsträhnen wirft.

Langsam dreht sie sich zu mir um. Ein langer, verzerrter Schatten, der in einem Winkel von den Schuhen aus über den schmutzigen Boden und dann die Mauer des Bogens emporläuft, bewegt sich mit ihr. Ihre Lippen kräuseln sich zu einem kleinen versuchsweisen Lächeln, keinem Ausdruck von Glück, sondern nur einem wortlosen Gruß. Die erschreckende Abwesenheit, die gestern Abend aus ihren leeren Augen sprach, ist fort.

Für ein paar Stunden war ihr Inneres verschwunden. Erst jetzt kann ich mir die absolute Panik eingestehen, die ich beim Blick in Zoes nichts mehr wahrnehmende Augen empfand. Ich hatte echt Angst, sie hätte ihre Belastungsgrenze erreicht, wäre wahnsinnig und eine von denen geworden, die an diesem Krieg zerbrechen.

Ich studiere ihr Gesicht genauer und erlaube mir ein kurzes Bad in einem Gefühl von Erleichterung, das sich anfühlt wie fassungslose, ungläubige Freude darüber, dass das Mädchen, das ich liebe, aus den Fängen des Todes zurückgekehrt ist.

Keine Autos fahren. Das gewohnte Hintergrundbrummen des Verkehrs fehlt. Staubteilchen und winzige Federn treiben gemächlich zwischen uns durch die Luft und werden unsichtbar, sobald sie den schmalen Sonnenstrahl verlassen.

«Alles okay?», frage ich.

Sie nickt, streckt beide Arme nach oben, hebt das Gesicht in die Sonne, reckt sich und stößt ein leises Stöhnen aus.

«Ich hab Hunger», sagt sie.

«Ich auch. Lass uns nach Hause gehen», antworte ich, stehe auf und wische mir den schlimmsten Dreck von der Hose. «Ich dachte letzte Nacht, sie würden die Stadt bombardieren.»

«Kommt noch.»

Ich blinzle in das grelle Sonnenlicht und hebe mein Rad auf, doch bevor wir weiterfahren, gibt mir Zoe noch einen kurzen, zärtlichen Kuss auf die Lippen, und ich spüre, wie sich eine Freude in die Angst flicht, die mir wie ein Knoten im Leib steckt. Trotz der Bomben, trotz des bevorstehenden Angriffs bin ich mir zum ersten Mal sicher, dass Zoe zu mir gehört und ich zu ihr.

Ich küsse sie zurück, und wir fallen uns in die Arme. Eng aneinandergedrückt, berauscht von der Zuneigung dieses Mädchens, kommt mir auf einmal der Gedanke, dass es nicht stimmt, wenn man sagt, man spürt Liebe im Herzen. Man spürt sie im ganzen Körper, bis in die Fingerspitzen. Sie zittert und singt in allen Adern, Venen und Kapillaren. Sie tanzt über jede Pore und jedes Bläschen.

Beinahe hätte ich es ausgesprochen. Wäre ich stehen geblieben, um an den Angriff zu denken, der über die Stadt hereinbrechen würde; hätte ich mich dran erinnert, wer mein Vater war, und mir erlaubt, in Erwägung zu ziehen, dass eine Rakete, die irgendwo über uns kreiste, für ihn bestimmt war. Wenn ich die veränderten Bedingungen des Tages in Rechnung gestellt und mir bewusst gemacht hätte, dass dies mein letzter sei, dann hätte ich laut ausgesprochen, was ich dachte. Doch die Worte, die aus meinem Mund kommen, lauten nur: «Lass uns nach Hause fahren.»

DIE BASIS

Es ist brutal, von einer Spätschicht in eine Frühschicht zu wechseln. Selbst nach einer kochend heißen Dusche schlafe ich noch halb, als ich mich die Treppe hinunterschleppe.

Mum sitzt am Frühstückstisch mit einer Zeitung vor sich, die eine schreckliche Überschrift über den Streifen und ein Foto von explodierenden Geschossen zeigt. Ihr Gesicht ist blass und ernst.

Ich bin bereits in Uniform und will nur schnell eine Schale Müsli essen. Es ist kaum Zeit für ein Frühstück, geschweige denn für das Gespräch, das sie mir anscheinend aufzwingen will. Ich kann es förmlich spüren, deshalb dreh ich schon fast auf dem Absatz um, doch zu meiner Überraschung bleibt sie stumm, sieht mich nur an.

Wortlos hole ich mir eine Müslischale. Das Geräusch der Cornflakes, die in die Schüssel fallen, scheint durch das ganze Zimmer zu hallen.

Ich will nicht näher zu ihr heran, deshalb esse ich im Stehen, mit dem Rücken am Kühlschrank, und vermeide den Blickkontakt.

Doch natürlich kann sie nicht an sich halten. Ich habe gerade ein paar Löffel von meinem Müsli heruntergeschlungen, als sich ihre förmliche kleine Stimme zu Wort meldet und sagt: «Geh nicht.»

Ich drehe mich zu ihr, sehe ihren verkniffenen, von Trauer beherrschten Mund und zucke mit den Schultern. Ich weiß nicht mal, was sie meint, und habe auch keine besondere Lust, es herauszufinden.

«Geh da heute nicht hin», sagt sie.

«Wovon redest du?»

«Nimm nicht daran teil.»

«Wie, du glaubst, ich kann dort einfach nicht auftauchen? Sagen, es gefällt mir nicht?»

Wenn sie mir nicht leidtäte, würde ich laut loslachen.

«Bitte», sagt sie. «Denk drüber nach, was du tust.»

«Ich mache meinen Job. Ich diene meinem Land.»

«Niemand kann dich zu irgendwas zwingen. Es ist deine Entscheidung. Du kannst jederzeit gehen.»

«Kann ich nicht. Ich bin Soldat.»

«Du kannst trotzdem gehen», antwortet sie, erhebt sich von ihrem Stuhl und eilt zu mir, bleibt dann aber plötzlich verlegen mitten in der Bewegung stehen. «Es ist immer noch deine Entscheidung. Jeden Tag, jeden Moment hast du die Wahl, was du tust!»

Ich drehe mich um und spüle die leere Schale aus, damit sie das Grinsen nicht sieht, das mir in den Mundwinkeln kribbelt. «Ich weiß nicht, auf welchem Planeten du lebst», sage ich. «Irgendwie hast du was nicht mitgekriegt. Bis später.»

Während ich meine Maschine aus der Auffahrt schiebe, sehe ich, dass sie noch immer reglos an derselben Stelle steht, an der ich sie verlassen habe, mit demselben niedergeschlagenen, müden Ausdruck im Gesicht. Es muss hart sein, wenn man so alt ist. Ab einem bestimmen Punkt kann man wahrscheinlich nicht mehr das Tempo mithalten, in dem sich die Welt verändert, nehme ich an. Man versteht einfach nicht mehr, was für alle anderen ganz offensichtlich ist.

Als ich mit hoher Geschwindigkeit der tiefstehenden leuchtenden Sonne entgegenfahre, das Visier hochgeklappt, um die kühle Luft zu genießen, die an meinem Gesicht vorbeipeitscht, wird mir plötzlich bewusst, dass mein Kopf in einem viel langsameren, ruhigeren, zufriedeneren Tempo denkt als je zuvor. Das halbwegs konstante Hintergrundgeräusch der Angst und des Zweifels ist leise gestellt, wird übertönt von einem einfachen, klaren Gedanken, der sich allmählich in mir bemerkbar macht, angefüllt mit Bedeutung, auch wenn ich gleichzeitig das Gefühl habe, dass er vielleicht ganz banal ist. Das Einzige, was ich denken kann, wieder und wieder, ist der Satz: *Ich bin, der ich bin.*

Um diesen Gedanken windet sich ein auf einmal befreiendes Unverständnis dafür, wie sehr ich in der Vergangenheit zugelassen habe, dass meine Mutter mich aufregt, wie viel Zeit ich damit vergeudet habe, um ihre Zustimmung zu flehen. Jetzt, endlich, weiß ich gar nicht mehr, weshalb es mir so wichtig war.

Während ich über den Parkplatz fahre und meine Maschine auf dem gewohnten Platz abstelle, wird mir bewusst, wieso sich dieser Tag so gut anfühlt. Mein ganzes Leben habe ich nach einem Ort gesucht, wo ich hingehöre, wo niemand von mir erwartet, jemand anderes zu sein, als ich bin. Jetzt habe ich ihn gefunden, genau hier.

Ich bin spät dran, deshalb eile ich über den Kies und gehe direkt zum Flugraum. Alle Müdigkeit ist auf der Fahrt verflogen und einer fast übermütigen Erregung gewichen.

Wenn du zum Militär gehst, weißt du, dass fast jeder Arbeitstag aus Warten, Trainieren und Sichvorbereiten besteht. Das, worauf du wartest, tritt nur sehr selten ein. Und genau darum geht es. Um Tage wie diesen.

Der dürre Typ, der mich gestern Abend abgelöst hat, sitzt immer noch vor dem Bildschirm. Ich war nur eine Schicht lang weg.

«War was?», frage ich beim Wechsel.

Er schüttelt den Kopf. «Ich denke, das große Ding erlebst *du*», antwortet er.

Wallis ist nicht zu sehen, doch der Sensor-Operator will seinem Piloten schon folgen.

«Warte», sage ich. «Mein Kumpel hat sich verspätet.»

«Dein Kumpel ist kein Kumpel», antwortet er und zeigt auf die uniformierte Gestalt, die bereitsteht, seinen Platz einzunehmen. «Sie ist hier.»

Mein ganzer Körper fühlt sich an wie in Eis getaucht, als ich seinem Blick folge und sehe, wie Victoria den Platz neben mir einnimmt.

«Wo ist Wallis?», frage ich, nicht sie, nicht irgendjemand Bestimmten, doch sie ist nun mal die Einzige, die mich hört.

Sie sieht mich nicht an. Stöpselt die Kopfhörer ein. Zuckt mit den Schultern.

«Ich dachte, du wärst ...» Meine Stimme verliert sich. Es gelingt mir fast nicht, zu sprechen.

Sie schüttelt den Kopf. «Trainingsstatus ist geheim. Solltest du eigentlich wissen. Aber manche Leute prahlen eben gern.»

Ich habe mein Headset noch nicht aufgesetzt und höre nur eine blecherne Stimme, die aus meinem Schoß steigt. Eilig setze ich die Kopfhörer auf.

«Ja, Sir, verstehe», sage ich.

Das Briefing geht schnell. Ich habe noch nie eine Emotion in Wilkinsons Stimme gehört, doch heute spricht er schnell, klar und laut, leicht außer Atem. Ich bin wieder auf #K622 angesetzt, aber diesmal mit einer bewaffneten MQ-9, keiner Überwachungsdrohne. Er gibt mir eine formelle Bestätigung, dass #K622 auf der Tötungsliste steht, absolut autorisiert, vorgesehen für einen koordinierten Angriff. Ich muss nur noch auf den Befehl warten.

Das Haus, das ich Tausende Stunden überwacht habe, ist wieder auf meinem Bildschirm. Wilkinson bestätigt, dass #K622 in dem Gebäude ist und ich an ihm dranbleiben muss, wo immer er hingeht.

Ich erkundige mich nach den Kollateralschaden-Parametern, und die Antwort lautet, der Mann sei ein hochrangiges Ziel. Es spiele keine Rolle, wer noch im Haus ist.

«Sir?», frage ich. «Darf ich fragen, wo Wallis ist?»

«Er wird woanders gebraucht. Sie haben Hicks, eine weitere Anfängerin aus dem Trainingsprogramm, doch sie ist voll ausgebildet.»

Es gibt ein hörbares Klicken, als sich Wilkinson ausklinkt.

Ich schau zu Victoria rüber. Ihr Blick ist auf unsere Bildschirme gerichtet.

Seit dem Moment vor ihrem Haus habe ich immer vermieden, an sie zu denken und daran, was zwischen uns passiert ist. Wann immer sie in meinen Gedanken auftaucht, kommt eine Kaskade von Worten mit hoch: Entschuldigungen, Erklärungen, Strategien, wie ich ihr ausweichen oder auf sie zugehen könnte, ein irres Dröhnen nutzloser Reden, die ich niemals aussprechen werde. Und jetzt ist sie förmlich auf Tuchfühlung, sitzt für die nächsten acht Stunden direkt an meiner Seite, und alles, was wir reden, ist für unsere Vorgesetzten hörbar.

Mir ist, als ob die Sehnen in meinem Körper bis zum Äußersten gespannt sind. Allein zu wissen, dass sie da ist, direkt neben mir hockt, macht mich total verkrampft. Es ist, als wenn ich direkt neben einer Handgranate säße.

An ihrem Gesicht lässt sich nichts ablesen, es ist ausdruckslos, professionell konzentriert, doch ich spüre den puren Hass, der aus ihrem Körper dringt und mich mit Verlegenheit und Scham erfüllt.

Das hier ist der größte Tag in meiner Karriere, der Höhepunkt all dessen, wofür ich gearbeitet habe, aber meine Konzentration ist dahin. Ich kann nicht geradeaus denken, mich nicht auf die Aufgabe fokussieren. Der Bildschirm vor meinen Augen verschwimmt.

Ich blinzle, zwinge mich zur Konzentration. Meine Augen springen zu Victoria rüber. Sie beobachtet unseren Hauptbildschirm. Ruhig und undurchschaubar. Ich sage ihr, sie soll auf einem Neben-Display zurückzoomen.

Sie zoomt das Bild zurück.

«Gesamtbereich prüfen», sage ich.

Sie zoomt weiter zurück. Das Zielgebäude schrumpft zusammen und ist nur noch ein graues Rechteck in einer Reihe von ziegelgedeckten Dächern, wiederum eingefügt in ein größeres Geflecht von Straßen. Dazwischen wirken die Trümmerflächen wie fehlende Zähne. Die broccoliartigen Flecken der verbliebenen Bäume im Streifen schrumpfen zu nichts zusammen, als Straße um Straße in den Blick gerät, endlose Mengen von Gebäuden rasen ins Bild und füllen den Schirm von allen Seiten. Eine Flut von Leben. Nur die Parks stechen aus dem Grau heraus: braune Flecken, die kreuz und quer mit dicht an dicht gitterartig zusammenstehenden Zelten überzogen sind und aus unserer Perspektive wirken wie der Plan von irgendeinem Brettspiel.

Ich weiß nicht, ob es an der Anwesenheit von Victoria liegt oder an einer plötzlichen Aufwallung meiner Schlachtfeld-Nerven, doch meine Stimmung hat sich verändert, Erregung und Erwartung gerinnen zu einem säuerlichen, beunruhigenden Gebräu. Mir wird klar, dass mein Bildschirm voll ist mit Hunderten oder Tausenden Menschen. Einige von ihnen werden bald getötet, und ihr Tod wird in diesem Raum hier organisiert.

Die Woge der Zuversicht, die ich am Morgen gespürt habe und die wie eine alles verändernde Offenbarung schien, hat keine Spur hinterlassen. Trotz meiner erfolgreichen Tötungsmission am Vortag tauchen die quälenden alten Fragen wieder auf und sprudeln in meinem Schädel herum. *Kannst du diesen Mann töten? Kannst du seine Frau töten?*

Seinen Sohn? Seine Zwillinge? Bist du beinhart genug? Wirst du, wenn der Moment kommt, die Kraft haben, abzudrücken?

NEIN, sage ich mir und die Worte kommen fast laut über die Lippen. NEIN! Nicht diese Gedanken. Nicht jetzt. Nicht an diesem Tag aller Tage. Diese Fragen sollten mir abtrainiert worden sein. Mein Fokus muss einzig und allein auf dem Ziel liegen. Ich habe einen simplen Job zu erledigen, der keine Analyse verlangt. Die Familie geht mich nichts an. Jedes Aufwallen von Mitgefühl muss verbannt werden.

Es bleibt nicht mehr viel Zeit. Ich muss mich konzentrieren und meine Gedanken in den Griff kriegen. Aber noch immer köchelt blubbernd ein ekelerregender Selbstzweifel in meinem Kopf.

Schaff ich das?

Und wenn nicht, wer bin ich dann?

Wieso glaube ich, ich könnte mich hier, an diesem Ort, behaupten, unter diesen Leuten?

Warum habe ich mich genau dem Druck gestellt, der mich zerbrechen lässt?

Was wird aus mir, wenn ich versage?

Ich greife nach der Flasche auf meinem Schreibtisch, fummle am Deckel, und als ich trinke, läuft mir Wasser übers Kinn. Der Gaumen fühlt sich trocken und klebrig an, die Kehle ist wie zugeschnürt. Obwohl offene Behälter auf den Konsolen nicht erlaubt sind, schraube ich den Deckel nicht wieder auf die Flasche, weil ich fürchte, dass Victoria oder sonst jemand meine zitternden Hände bemerken könnte.

«Zurückfahren», sage ich.

Sie zoomt das Bild wieder auf das Zielgebäude. London verzieht sich wieder aus dem Blickfeld, als wir zurück auf das Haus von #K622 gehen.

Ich versuche, mich auf das zusammenschrumpfende Bild zu fokussieren, seine Bewegung nachzuvollziehen, meine Konzentration auf die bevorstehende Aufgabe zu lenken. Es ist nicht mein Job, zu denken oder zu fühlen. Ich habe nur zu handeln. Meine Aufgabe besteht darin, die Welt durch einen Strohhalm zu betrachten und Befehlen zu gehorchen. Nichts außerhalb des Bildschirms ist meine Verantwortung. Zweifel sind ohne Bedeutung. Nachdenken oder Entscheidungen fällen gehört nicht hierher.

In meinem Kopf springen diese Gedanken hin und her wie ein eingesperrter Hund im Käfig.

Meine Gedanken beruhigen sich langsam. Mein Puls sinkt.

Ich atme durch.

Ich überwache das Haus.

Wenn ein Gedanke auftaucht, verscheuche ich ihn.

Ich erlaube mir die simple, tröstliche Vorstellung, dass wahrscheinlich jeder Soldat zu allen Zeiten auf dem Weg in die Schlacht ähnliche Ängste empfunden hat. Und wenn der Befehl kommt zu kämpfen, ist alles Nachdenken plötzlich ausgelöscht.

Ich bin ruhig. Ich werde meinen Job machen. Ich werde nicht scheitern.

«Wärmebild», sage ich.

Sie geht auf Wärmebild und schaltet den Bildschirm auf monochrom.

«Zurück», sage ich.

Sie klickt zurück.

«Wird jetzt wohl nicht mehr lange dauern», sage ich.

Sie nickt.

«Frustrierend, nicht?», sage ich. «Grundlos zu warten.»

Ich hoffe, dass ich es, wenn ich es ausspreche, auch tatsächlich meine. Aber ich spüre, wie ich rot werde, und drehe mich weg, um mein Gesicht zu verbergen. Besser nicht reden. Besser einfach so tun, als wäre sie Wallis. Ich muss sie aus meinem Kopf sperren und mich auf die Aufgabe konzentrieren. Nach der Schicht kann ich um einen anderen Operator bitten.

Mein Blick wird von einer Bewegung auf dem Bildschirm angezogen. Es ist der Sohn, der zurückkommt und vom Rad steigt. Sein Auftauchen reißt mich sofort aus meinen Gedanken und fokussiert meine Aufmerksamkeit auf den Streifen, auf das Haus, auf das ich gleich nach dem Befehl eine Rakete richten werde. Noch eine andere Gestalt ist bei ihm, eine weibliche, die ebenfalls absteigt.

Er trägt das Rad nicht hinters Haus, wo es sonst steht, oder schließt es auch nur ab. Er stellt es unter das vordere Fenster und läuft zur Tür.

Die zwei bleiben stehen, küssen sich, dann sehen sie sich einen Moment an, vielleicht sprechen sie miteinander. Er zieht einen Schlüssel aus seiner Tasche und öffnet mit der rechten Hand die Tür, die linke hat er noch in die Finger seiner Freundin geflochten.

Er lässt sie los, und sie treten ein.

Mein Bildschirm zeigt wieder nichts als das gewohnte

Bild dieses unendlich vertrauten Backstein-Reihenhauses, das dort bereits seit mindestens einem Jahrhundert stehen muss. In Kürze, durch den Druck eines Knopfs, über dem schon mein Finger schwebt, wird es zerstört sein.

Mein Puls pocht jetzt. Ich hatte versucht, nicht daran zu denken, ob der Junge bei seinem Vater im Haus sein könnte. Jetzt kann ich es nicht mehr leugnen.

Ich wünschte, ich könnte ihm sagen: Hau ab! Ich würde so gut wie alles tun, um eine Möglichkeit zu finden, ihn zu warnen. Doch ich kann nur hinschauen und warten.

Bitte lass den Jungen gehen. Bitte lass #K622 einen Spaziergang machen oder zu einem Treffen mit seinen Kameraden gehen.

Wieso ist er überhaupt noch bei seiner *Familie?* Benutzt er sie als menschliches Schutzschild? Denn das wird nicht funktionieren. Er ist ein Ziel, und wo immer er sich befindet: Wenn der Befehl kommt, wird genau dort die Rakete einschlagen. Er muss das doch wissen.

Nach all der Erwartung, nach all dem Streben während der vielen Monate Training und Vorbereitung auf diesen Moment erfüllt mich der bevorstehende Befehl jetzt plötzlich mit purer Angst.

Bitte. Nicht genau jetzt.

Nicht jetzt.

Bitte.

DIE STADT

Die Straßen sind leer, als wir nach Norden fahren. Keine Autos, keine Lastwagen, keine Busse und ganz sicher keine anderen Teenager, die sich ein Rad teilen. Gelegentlich taucht mal eine Gestalt zu Fuß auf und eilt von Tür zu Tür, immer dicht an den Hauswänden entlang. Es ist, als ob die ganze Stadt, eine Metropole mit mehreren Millionen Einwohnern, an einem dünnen Faden hängt und jeder von uns darauf wartet zu sehen, wie tief wir fallen, wenn der Faden gekappt wird.

Die einzigen Geräusche sind das Knarren meiner Fahrradkette und das Sirren der Drohnen, die ihre geduldigen laseräugigen Bögen durch den Himmel ziehen, überwachen und warten.

Mein Körper, in dem Angst und Glück durcheinanderwirbeln, ist mir nie lebendiger erschienen und gleichzeitig dem Tode näher. Jede Zelle ist hellwach und sprudelt förmlich über vor Intensität. Es ist beinahe, als würde ich nicht durch die Stadt fahren, sondern hoch über ihr, auf einer Messerklinge, mit der ganzen Welt außer Zoe und mir tief unter uns.

Es ist Flut, als wir über die Westminster Bridge kommen, das Wasser schwappt gegen die halb zerstörten Rückhaltemauern und bedeckt fast das zusammengebrochene Riesenrad, dessen verrosteter Rumpf die Biegung des Flusses blockiert. Wir sind die Einzigen auf der Brücke, und als wir bei den Ruinen des Parlaments rechts abbiegen, haben wir auch Whitehall für uns allein. Diese Leere ist merkwürdig und beunruhigend, aber wieder nördlich des Flusses zu sein, ist wie ein Sprung heimwärts.

Alles scheint schärfer, heller, realer als gestern. Doch gestern war ich ein anderer Mensch. Jungfräulich. Heute fühle ich mich so eingewoben in die Welt wie noch nie zuvor. Zoe hat mich mit mehr Leben erfüllt, als ich je geglaubt hatte, in mir tragen zu können.

Dies ist Leben.

Dies ist Leben.

Ich bin.

Sie ist.

Wir sind.

Die einzigen Orte, an denen wir Menschen sehen, sind die U-Bahnhöfe, von denen einige ziemlich voll zu sein scheinen. Die Menschen an den Eingängen kämpfen darum, auch noch hineinzukommen und einen Weg unter die Erde zu finden, ehe die Bomben fallen.

Als wir vor Zoes Zuhause sind, halten wir an. Sie steigt ab, macht aber keine Anstalten zu gehen. Eine kleine Menschenansammlung steht dicht gedrängt vor dem Eingang zum unterirdischen Schutzraum und streitet mit ein paar bewaffneten Sicherheitsleuten.

Das Sirren aus dem Himmel erscheint jetzt lauter, die Drohnen fliegen tiefer, dichter, wirken größer.

«Meinst du, du schaffst es hinein?», frage ich.

Zoe betrachtet tief in Gedanken die Menge.

«Wir sollten deine Familie holen», sagt sie.

«Wie meinst du das?»

«Sie herbringen.»

«Es gibt keinen Platz.»

«Es gibt immer Platz. Nur bis das hier vorbei ist. Selbst wenn sie stehen müssen, es gibt Platz. Sie sollten sich *unter* der Erde aufhalten.»

«Wir werden da nicht reinkommen.»

«Unser Bereich ist uns zugewiesen. Ich habe einen Ausweis. Ich kann euch reinbringen.»

Der Gedanke lässt mich erstarren. Ich weiß nicht, was ich tun soll. Meine Fähigkeit, Chancen oder Risiken einzuschätzen, ist weg. Es ist, als ob ich keinen komplexeren Plan fassen könnte, als nach Hause zu fahren und meinen Eltern zu sagen, dass ich noch lebe. Ich weiß, dass mein Vater Zutritt zu irgendwelchen Schutzräumen hätte, doch alles, was mit dem Corps in Verbindung steht, ist wahrscheinlich ein Angriffsziel. Das hier wäre viel sicherer.

Ich schaue hinauf zu der nächsten Drohne und spüre, dass sie mich beobachtet. Dann wird mir klar, dass darin kein Mensch sitzt. Keine Augen, keine Hände, weder Haut noch Schweiß, kein Herzschlag, kein Gewissen. Aber irgendwo sitzt jemand und schaut auf uns herab.

Zoe legt ihren Finger an meine Wange und lenkt behutsam meine Aufmerksamkeit wieder in ihre Richtung.

«Uns bleibt nicht viel Zeit», sagt sie.

«Mein Vater wird nicht mitkommen», antworte ich, ohne eine Ahnung, was ich damit sagen will.

«Deine Mutter. Deine Schwestern. Wenigstens sie sollten hier sein», beharrt Zoe.

«Wir müssen erst deine Familie fragen», antworte ich.

«Nein. Keine Zeit.»

«Aber ...»

«Und sinnlos.»

Sie fixiert mich mit ihren leuchtend grünen Augen. Das Bild ihrer verstörten Mutter blitzt in mir auf. In dieser Familie gibt es keine höhere Autorität als Zoe.

«Bist du sicher?»

«Ja. Los, beeil dich.»

«Sie kennen dich doch gar nicht. Sie kennen das hier nicht. Sie werden nicht kommen.»

«Dann nimm mich mit. Ich erklär's ihnen.»

«Aber ...»

Zoe packt meinen Arm und schüttelt mich, als ob sie versucht, mich aufzuwecken. «Ich kann nicht ohne dich da runter, und du kannst nicht ohne *sie* sein, oder?»

«Nein.»

Sie setzt sich wieder aufs Rad.

«Also beeil dich», sagt sie. «Hör auf, Zeit zu vergeuden.»

Wir fahren los. Die seltsame Euphorie, die mich am Anfang unseres Ausflugs halb betäubt hat, ist verflogen. Jetzt spüre ich die Verzweiflung in der Luft. Als wir uns meinem Zuhause nähern und durch die Wohnstraßen fahren, sind mehr Menschen auf der Straße. Jeder, den wir sehen, läuft mit eiligen Schritten, dicht an den Hauswänden entlang, schiebt Einkaufswagen, schleppt Kartons, auseinander- platzende Taschen oder überquellende Koffer, viele Leute tragen Kinder oder alte Menschen auf ihrem Rücken. Mit jeder Drehung der Pedale, jeder Minute, die vergeht, dringt die kalte, stechende Panik tiefer in mich ein. Ich habe das Gefühl, als ob der Tod mit uns auf dem Rad sitzt, ein feind- seliger Mitfahrer, der sich zwischen uns gequetscht hat und mir seinen eisigen Atem in den Nacken bläst.

Als ich langsamer werde, springt Zoe vom Rad und sagt, ich soll weiterfahren. Sie rennt neben mir her, versucht mit- zuhalten, und als wir zu Hause ankommen, sind wir beide schweißgebadet und außer Atem.

Ich lehne mein Fahrrad gegen die Hauswand und will ge- rade die Tür aufschließen, als Zoe meine Schulter berührt und mich zu sich dreht. Sie küsst mich auf den Mund, was mir fast Tränen in die Augen treibt, während mir etwas, das sich wie Trauer anfühlt, den Magen umstülpt.

Es bleibt keine Zeit, darüber nachzusinnen, was diese Trauer in mir auslöst, oder gar darauf zu reagieren. Ich dre- he den Schlüssel um und drücke die Tür auf.

Meine Eltern fallen sofort über mich her, kommen auf den dunklen Flur gerannt, und Mum zieht mich in eine sämtliche Rippen zerquetschende Umarmung, während ein langer Aufschrei aus Entrüstung, Erleichterung und Wut aus ihr herausbricht.

«Wo um alles in der Welt bist du gewesen? Wir dachten, du wärst ... wir dachten, du ... wir waren die ganze Nacht auf ... wir haben Leute losgeschickt, um nach dir zu suchen

... niemand will in dieser Zeit auf der Straße sein, doch wir sind draußen gewesen und haben gesucht und gesucht und jeden gefragt, aber nichts ... nichts ... Wo bist du gewesen? Was hast du gemacht? Wie konntest du das nur tun ... einfach so verschwinden? Hast du nicht die Bomben gehört? Es werden noch mehr kommen. Wir dachten, du wärst ...»

Ihr Mund ist so dicht an meinem Ohr, dass ich zwar sehe, wie sich die Lippen von meinem Vater bewegen, aber nicht hören kann, was er sagt, bis mich Mum endlich loslässt. Sobald sie den Griff lockert, tritt er zwischen uns. Sein Gesicht ist zu einem Ausdruck verzogen, den ich noch nie bei ihm gesehen habe – als ob er mich verabscheut.

«UND? UND?», keift er und verlangt Antwort auf eine Frage, die ich gar nicht gehört habe.

«Und was?»

«UND WAS? Machst du dich über mich lustig? Wie konntest du nur. Weißt du überhaupt, was du getan hast? Ich dürfte gar nicht hier sein. Ich bringe euch alle in Gefahr ... deine Mutter, deine Schwestern, unsere Nachbarn ... ich dürfte überhaupt nicht hier sein. Nicht jetzt. Aber deine Mutter ist die ganze Nacht wahnsinnig geworden vor Angst ... ich genauso ... wir dachten, dir wär was ... Wir wussten, es musste irgendwas Schlimmes sein ... etwas Schreckliches ... und jetzt marschierst du einfach hier rein mit irgendeinem Mädchen, als wenn nichts wär.» Speichel sammelt sich in seinen Mundwinkeln. Die Augen sind zusammengekniffen und blutunterlaufen. «Du solltest dich schämen! Wie konntest du nur so egoistisch sein?» Er packt mich an der Brust und drückt mich gegen die Wand. «Es geschehen gerade schlimme Dinge. Letzte Nacht. Heute. Ich dürfte nicht hier sein. Nicht jetzt, aber wegen dir konnte ich nicht weg. Nur wegen dir.»

Seine Hände halten mein T-Shirt fest, er zwirbelt den Stoff in seinen Fäusten.

«Ich hab es dir gesagt. ICH HAB ES DIR GESAGT!», schreit er.

Ich bin noch einen Augenblick sprachlos, dann platzt etwas in mir. Ich schiebe ihn von mir weg. Er taumelt, stürzt fast zu Boden. «FASS MICH NICHT AN! NIMM DEINE HÄNDE WEG! DU HAST KEINE AHNUNG, WO ICH GEWESEN BIN ODER WESHALB. DU DENKST, ICH TU DAS MIT ABSICHT? DU DENKST, ICH HATTE EINE WAHL?»

Ich trete vor, Nase an Nase mit meinem Vater. Mein Kinn ist nur ganz leicht nach unten gesenkt, als ich ihm in die Augen starre. Ich bin größer als er. «Drück mich nie wieder gegen die Wand. Nie wieder. Du weißt nicht, wo ich war. Du weißt nicht, was mir passiert ist. Ich saß in der Falle. Ich erklär's dir später. Das Einzige, was jetzt wichtig ist: Ich habe einen Ort gefunden. Zoe kommt aus einem Schutzraum. Sie sagt, wir können dorthin. Jetzt.»

Die Augen meines Vaters springen hinüber zu Zoe, und ich wende mich zu meiner Mutter. «Los. Los! Ich, du und die Zwillinge.»

Mum ist erstarrt, ihr Gesicht leer in dem Durcheinander der widersprüchlichen Gefühle.

«Es gibt dort Platz, jedenfalls für eine Weile», sagt Zoe. «Eine Tasche passt aufs Fahrrad. Wir laufen.»

«LOS!», sage ich.

Mum dreht auf dem Absatz um und rennt aus dem Zimmer.

Ich wende mich wieder zu Dad um, der mich noch immer anstarrt, als ob ich ein gewalttätiger Fremder bin, der in sein Haus eingedrungen ist.

«Ich habe dich gewarnt», sagt er. «Ich habe dich gewarnt, und du hast es missachtet.»

Ich zucke mit den Schultern.

«Du hast nicht zugehört. Du hörst ja nie zu. Du hättest deine Schwestern, deine Mutter, mich umbringen können. Ich musste die ganze Nacht hier sein. Zum schlimmstmöglichen Zeitpunkt. Wie konntest du das nur tun?»

«*Ich* hätte sie umbringen können?», sage ich, und meine Worte zerschneiden die Luft.

Er dreht sein Gesicht zur Seite, als wenn ich ihm eine Ohrfeige gegeben hätte.

«Versuchst du wirklich, mir zu sagen, es wär *meine* Schuld?», frage ich.

Er rührt sich nicht. Jeder Muskel in seinem Körper scheint zu erschlaffen und ihn vor meinen Augen zusammenschrumpfen zu lassen. Sein Kopf bleibt weiter zur Wand gedreht.

Mum durchbricht das Schweigen, als sie mit einem einzigen Koffer und meinen zwei Schwestern, die ganz verschlafen und verwirrt wirken, ins Zimmer gelaufen kommt.

«Okay, gehen wir, gehen wir», sagt sie.

Sie tritt auf Dad zu und küsst ihm einmal die Wange. «Viel Glück», sagt sie mit abgehackter, gehetzter Stimme, in der nicht nur ein Unterton von Eile, sondern auch Feindseligkeit und Schuldzuweisung mitschwingt. Sie mag seine Arbeit für das Corps vielleicht toleriert oder sogar unterstützt haben, doch jetzt spüre ich, dass sie ihm niemals vergeben wird, wohin sie das alles gebracht hat.

Dad umarmt und küsst die Mädchen und sagt immer wieder: «Bis bald. Bis ganz bald.» Es ist offensichtlich, selbst für die zwei, dass seine Worte ein Wunsch sind, eine Bitte, aber kein Versprechen.

Dann sind wir draußen und eilen unbeholfen mit den Kindern, dem Koffer, dem Fahrrad davon, fort von dem Haus, so schnell wir nur können.

DIE BASIS

Er ist draußen! Er ist draußen!

Ich möchte von meinem Stuhl aufspringen und tanzen. Ich würde am liebsten singen vor Freude. Er ist draußen und weg von seinem Vater, zusammen mit seinen Schwestern, seiner Mutter und dem Mädchen.

Ich sehe zu, wie sie sich taumelnd vom Haus entfernen, zähle förmlich die Schritte, möchte sie geradezu antreiben, sich aus der Schusslinie zu entfernen. Es dauert nicht lange, und sie sind in Sicherheit. Offenbar hat der Junge erkannt, was bevorsteht, und sie gerettet.

Fast will ich Victoria sagen, dass die Familie draußen ist – was eine positive Entwicklung in Sachen Kollateralschäden bedeutet –, doch ich fürchte, meine Stimme würde zu viel verraten. Wenn irgendjemand in meiner Nähe wüsste, was ich gefühlt habe, wäre ich eine Zielscheibe des Spotts.

Ich weiß nicht, was das für eine Verbindung zwischen mir und dem Jungen ist, ich weiß nur, es ist unprofessionell und grenzt schon an Pflichtversäumnis. Ich werde niemals vor irgendwem zugeben, wie weit ich mich durch meine Sympathien von meinem vorgegebenen Pfad entfernt habe.

Vielleicht empfinden andere hier genauso wie ich. Wir verbringen mehr Zeit mit diesen Menschen als mit unseren eigenen Familien. Aber vielleicht bin ich auch der Einzige. Ich werde es nie erfahren, da ich ja keinen anderen Piloten fragen kann, und wenn ich selbst gefragt würde, würde ich immer nein sagen.

Ich sage nichts. Ich halte meine Gesichtszüge so neutral wie nur möglich, auch als der Befehl kommt, das Ziel zu zerstören, und ich als Erstes in mir die Freude spüre, dass der Junge und seine Familie fliehen konnten.

Ich mache mich bereit, und ein rotes Icon erscheint oben links im Bildschirm.

Ein Anflug von Spannung huscht über die Reihe der Steuerpulte, die Stille im Raum wird fühlbar intensiver. Ich werfe einen Blick über die Schulter. Sämtliche Bildschirme haben jetzt das rote Icon.

Es ist ein koordinierter Angriff. Alle hochrangigen Ziele werden auf einmal ausgelöscht.

Es sind keine zwei Minuten mehr bis zum Abschussbefehl und, nachdem ich die Rakete ausgelöst habe, nur noch wenige Sekunden bis zum Einschlag.

Das Hin und Her im Kopf zwischen Angst und Selbstzweifel ist jetzt verschwunden. Ich fühle mich absolut vorbereitet, innerlich angenehm ausgewogen zwischen gespannter Erwartung und ruhiger Aufmerksamkeit. Bis mich das Aufblitzen einer Bewegung am unteren Rand meines Bildschirms hochfahren lässt.

Der Junge.

Es ist der Junge! Er läuft zurück. Auf das Haus *zu*.

Wieso?

Wieso tut er das?

Er war doch draußen – fort – in Sicherheit – und jetzt läuft er zurück!

Wieso jetzt?

Nicht jetzt!

Nicht jetzt!

Aus dem Augenwinkel sehe ich, dass Victoria mich beobachtet. Ich habe etwas preisgegeben.

Ich muss ruhig bleiben. Egal was für Gedanken in meinem Kopf hochkochen, ich darf nichts davon zeigen.

Meine Rolle ist ganz einfach, ganz klar.

Ich darf nicht aus meinem Ablauf ausbrechen.

Ich darf nicht das kleinste Zögern, den leisesten Zweifel zeigen.

Der Junge öffnet die Tür und betritt das Haus.

DIE STADT

Wir sind in sicherem Abstand, auf halbem Weg zur nächsten Ecke, als Zoe mich anhält.

«Du hast dich nicht verabschiedet», sagt sie.

«Es war keine Zeit.»

«Du … wenn du …»

Sie scheint Schwierigkeiten zu haben, die Worte auszusprechen, ihre Finger graben sich in meinen Unterarm.

«Was ist? Alles in Ordnung mit dir?», frage ich.

«Wenn du dich nicht verabschiedest … wenn das dein letztes …»

Plötzlich muss ich an ihren Vater denken. Zoe weiß, dass in Kriegszeiten jedes Gespräch das letzte sein könnte. Ich spüre, dass die letzten Worte, die sie zu ihrem Dad gesagt hat, in ihrem Innern nagen, vielleicht ein Streit, ein blöder Kommentar oder auch nur ein völlig bedeutungsloser Wortwechsel, doch sie wünscht sich, es wäre etwas anderes gewesen, und das verfolgt sie.

Das Letzte, was ich zu meinem Dad gesagt habe, war die härteste, schmerzhafteste Anklage, die ich hätte aussprechen können, eine, die niemand aus meiner Familie je in den Mund genommen hat. Meine letzte Berührung war ein Stoß gegen seine Brust. Unser letzter Blick voller Hass und Wut.

«Wartet hier», sage ich, halte meine Mutter und die Zwillinge an und übergebe das schwerbeladene Fahrrad an Zoe. Ich drehe mich um und spurte zurück zum Haus. «WO WILLST DU DENN HIN? WAS TUST DU?», schreit meine Mutter.

Ich schaue zurück, aber laufe weiter. «Bleibt einfach stehen. Eine Sekunde.»

Ich presche durch die Haustür und jage die Treppe hoch, sehe, wie mir mein Dad mit einer kleinen Tasche in der Hand aus dem Schlafzimmer entgegenkommt. Er ist bereits auf dem Weg nach draußen.

Wir starren uns an, doch ich habe mir nicht überlegt, was ich ihm sagen will. Unmöglich, meine Gefühle zum Ausdruck zu bringen, die in meinem Körper beben.

Dann ist er bei mir, schlingt die Arme um meinen Rücken und reißt mich an sich. Wir stehen da oben am Treppenabsatz und klammern uns aneinander wie Ertrinkende an ein Stück Treibholz. Ich höre nur seinen Atem in meinem Ohr, das Ticken der Uhr im Flur und das ferne Sirren einer Drohne.

Dann bricht ein weiteres Geräusch dazwischen. Nicht richtig nah, aber auch nicht fern. Ein Raketeneinschlag.

«Es beginnt», sagt er. «Geh. Geh jetzt. Ich gebe dir zwei Minuten, um Abstand von mir zu kriegen, dann verschwinde *ich*. Geh.»

DIE BASIS

Ein kurzes Klicken und Zischen in meinem Kopfhörer, dann
kommt: «Vorbereiten zum Abschuss.»
Ich gebe den Startcode ein. «Roger.»
Der Junge ist immer noch im Haus.
«Zielerfassung bestätigen.»
«Bestätigt.»
Der Junge ist immer noch im Haus.
Ein Klicken und Zischen. «Fünf Sekunden ... vier.»
Der Junge ist immer noch im Haus.
«Drei ... zwei.»
Er ist immer noch im Haus.
«Eins.»
Immer noch im Haus.
«Abschuss.»
Mein Finger schwebt über der Abschusstaste, aber mein
Körper und mein Hirn sind wie gelähmt. Nichts rührt sich.
«Abschuss.»
Hinter mir bricht Lärm los – ein paar Jubelrufe, ein biss-
chen Klatschen, ein seltsames Jauchzen.

«ABSCHUSS! ABSCHUSS!»

Ich schaue auf meinen Bildschirm. Ich schaue zu Victoria. Sie starrt mich an, aber ich kann den Ausdruck in ihrem Gesicht nicht deuten. Verwirrung? Abscheu? Hohn? Sorge? Ich weiß es einfach nicht.

Es gibt für medizinische oder psychologische Notfälle immer irgendwelche Ersatzleute auf dem Gelände, aber für diese Mission heute muss einer direkt hier im Flugraum sein, denn nach einer Spanne von seltsamer Leere, in der ich nicht weiß, was los ist oder was ich denke, reißen mich zwei Armpaare von meinem Sitz, und ein anderer Pilot übernimmt meinen Platz.

Ich liege mit dem Kopf nach unten am Boden und spüre ein Knie im Rücken, als die Handschellen kommen und zuschnappen. Plötzlich fühle ich mich erschöpft, gleichgültig, als würden die Handgelenke, um die die harten Kunststoffhandschellen gelegt werden, nicht wirklich zu mir gehören.

Eine Weile sehe ich nur Schuhe. Saubere schwarze Militärstiefel, die auf grauen Teppichfliesen stehen. Ich spüre den rauen Teppichboden an meiner Wange. Unzählige Male bin ich über diesen Teppichboden gelaufen, aber nie habe ich seine Oberfläche gespürt oder registriert, dass er wie ein neues Zuhause riecht.

Ich beobachte, wie eine Spinne ohne Eile durch einen Spalt unter der Bodenleiste verschwindet.

Ich falle.

Obwohl ich am Boden bin, geht es noch viel tiefer, ehe ich lande. Mein Moment des Zögerns hat eine Falltür unter meinem Leben geöffnet, und ein Sturz in eine andere Welt hat begonnen. Jede Hoffnung, jeder Ehrgeiz, den ich einmal hatte, ist fort. Alles über mir ist jetzt für immer außer Reichweite. Ich habe keine Ahnung, was unter mir kommt.

Ich werde auf die Füße gezerrt und von zwei Männern, die mich an Ellenbogen und Achseln packen und halb anheben, aus dem Raum geschleppt. Ich gehe weder selbst, noch werde ich getragen, die Fußballen laufen über den Boden, haben jedoch kein Gewicht. Ich drehe meinen Kopf, versuche einen letzten Blick auf meinen Bildschirm zu werfen.

Er ist grau. Nichts zu sehen außer Rauch und Staub.

DIE STADT

Ich wende mich von meinem Vater ab und jage in nur drei Sprüngen die ganze Treppe hinunter.

Ringsherum höre ich weitere Explosionen, jede Druckwelle knallt los, noch bevor die letzte verebbt ist. Sie vernichten jetzt nicht mehr nur die Tunnel. Es schlägt überall ein. Der Angriff hat begonnen.

Meine Hand fummelt am Türriegel. Jeden Moment wird die nächste Rakete einschlagen. Sie könnte dieses Haus treffen.

Die Tür gibt unter den zitternden Fingern nach. Ich drücke sie auf und dreh mich ein letztes Mal nach meinem Dad um.

«Warte nicht!», sage ich. «Komm jetzt. Komm.»

«GEH! GEH! GEH!», antwortet er und schiebt mich mit einem Stoß beider Arme nach draußen.

Ich trete in den blendenden Sonnenschein. Zoe, Mum und die Zwillinge stehen noch genau dort, wo ich sie zurückgelassen habe. Sie starren mit aufgerissenen Augen, die Mädchen klammern sich um Mums Beine und zucken bei den Einschlägen zusammen.

Ich mache den ersten Schritt auf sie zu, versuche loszulaufen, doch es gibt kein Laufen. Es gibt keinen zweiten Schritt. Ich höre nichts, sehe nichts. Im Bruchteil einer Sekunde werde ich zu nichts.

DIE BASIS

Ich verliere nicht das Bewusstsein – es gibt keinen Schlag vor den Kopf, der mich ausknockt –, doch ich verliere die Wahrnehmung. Es gibt eine Lücke in meiner Erinnerung. Ich erinnere mich an keine Einweisung ins Gefängnis, nicht daran, wie man mir meine Uniform ausgezogen, meine Taschen entleert hat. Und genauso wenig existiert in mir ein Moment des Aufwachens, in dem ich mich umsehe und merke, dass ich in einer Zelle bin.

Die Wärter sprechen nicht mit mir. Manchmal spucken sie in mein Essen.

Ein Anwalt erscheint und erklärt mir, dass ich vors Kriegsgericht komme wegen Fehlverhaltens beim Einsatz und Verweigerung eines ordnungsgemäßen Befehls. Ich höre ihn, verstehe ihn so halb und antworte sogar auf seine Fragen, aber hauptsächlich beobachte ich nur, wie er die Lippen bewegt.

Die Tage vergehen weder schnell noch langsam, weil Zeit für eine Weile etwas Statisches bekommt. Jeder Moment ist gleichzeitig endlos und winzig klein. In meiner Zelle ist es, als ob nichts geschieht oder jemals geschehen wird.

Es vergehen Tage oder auch Wochen, ehe es heißt, ich hätte Besuch. Ich habe keine Ahnung, von wem.

Ich will die Zelle eigentlich nicht verlassen, doch meine Wünsche haben keinen Einfluss mehr auf das, was mit mir geschieht.

Es ist meine Mutter, die mich besucht. Sie wirkt jünger, größer, lebendiger, als ich sie in Erinnerung habe. Zu Hause hatte sie immer nur alte, ausgeleierte Hosen und ausgefranste Pullover an. Doch jetzt trägt sie Rock und Bluse. Ihr Haar ist zurechtgemacht und fällt ihr elegant über die Schultern. Es ist nicht mehr zu einem Pferdeschwanz nach hinten gebunden.

Tränen treten ihr in die Augen, als sie mich sieht, doch irgendetwas an ihrer Haltung und ihrem Ausdruck drückt Glück aus oder zumindest Erleichterung. Sie erzählt mir, dass sie weiß, was ich getan habe, und dass sie stolz auf mich ist. Sie sagt, ich sei mutig. Sie erzählt, die Leute bezeichnen mich als Helden. Es gibt angeblich eine Kampagne, um Geld für meine Verteidigung zu sammeln. Eine Gruppe von Aktivisten will meinen Widerstand zum Vorbild erheben, als Präzedenzfall darstellen, als Anfang eines Aufstands gegen das Drohnen-Programm.

«Meinen Widerstand?»

Das Wort sagt mir zunächst einmal gar nichts.

Als ich langsam begreife, was sie meint, kommt in mir der Gedanke auf, sie könnte sich als Teilhaber an der Entwicklung sehen. Sie glaubt, sie hat mich überzeugt, nicht zu schießen. Und je mehr sie redet – mit einer Begeisterung und Kraft in der Stimme, die ich so kaum an ihr kenne –, je mehr sie Ereignisse, Reden und Konferenzen erwähnt, desto deutlicher wird, dass sie für sich Anspruch auf eine öffentliche Funktion als Sprecherin und Unterstützerin des Kriegsdienstverweigerers geltend gemacht hat.

Zu guter Letzt hat sie doch noch von mir bekommen, was sie wollte. Deshalb wirkt sie plötzlich aufgeweckt, engagiert und lebendig. Endlich hat sie eine Rolle, mitten in einer Sache, an die sie glaubt.

In Wirklichkeit verstehe ich nicht, was ich getan habe oder wieso. Genauso wenig wie ich hoffnungsvoll bin, was meine Verteidigung angeht. Ich weiß, sie hat alles missverstanden und meine Pflichtverletzung für ihre eigenen Bedürfnisse genutzt, aber nachdem ich keine schlüssige Erklärung geben kann, wieso meine Hand am Steuergerät der Rakete erstarrt ist, habe ich nichts dagegen, dass jemand anderer für mich eine Deutung findet.

Ich bin gleichgültig, sowohl was meine Strafe betrifft als auch gegenüber jedweder Hilfe, und geradezu unfähig, mir über irgendwas Gedanken zu machen.

Ich sehe zu, wie Mum redet, mit dem Kopf nickt, ich weiß nicht recht, ob ich mich betrogen oder unterstützt fühlen soll, und erst als sie droht, meine «Unterstützer» herzuschicken, um mich zu besuchen, gelingt es mir, etwas zu sagen: Ich will keine anderen Besucher. *Sie* kann von mir aus kommen, aber sonst niemand.

Bevor sie geht, nimmt sie mich fest in den Arm. Der Wärter sagt, sie soll mich nicht anfassen, doch sie bringt ihn mit einem stechenden Blick zum Schweigen, und er gibt nach. Von ihren Armen umschlungen, mit ihrem herzzerreißend vertrauten Geruch in der Nase, steigt ein merkwürdiges Gefühl in mir auf – eine Mischung aus kindlicher Freude, Trost zu bekommen, und einem Abscheu gegen dieses Missverständnis, diese alles erdrückende Dummheit.

Danach kommt ein neuer Anwalt, ohne Krawatte, mit ungepflegten Haaren und einem Leuchten in den Augen wie bei einem Hund, der ein Eichhörnchen entdeckt hat. Er redet und redet, um mich auf die Strategie einzuschwören, die wir in meinem Fall verfolgen wollen, eine Anfechtung der Ansicht, was im Fall eines Anschlags mit einem unbemannten Flugobjekt einen «ordnungsgemäßen Befehl» darstellt, doch ich höre ihm nicht richtig zu. Er vermittelt den Eindruck, dass es ein gewaltiges Interesse an dem Fall gibt, so als ob nicht ich auf der Anklagebank säße, sondern das Militär.

Am Tag der Anhörung male ich mir Massen von Kameras aus, die mich bedrängen, wenn ich aus dem Gefängnistransporter steige, Reporter, die schreien, weil sie eine Stellungnahme von mir wollen, doch dann stellt sich heraus, dass Kriegsgerichte gar nicht öffentlich tagen.

Es gibt nur ein paar Beobachter, die vielleicht, vielleicht auch nicht Reporter sind, schwer zu sagen. Meine Mutter sitzt ganz vorn, aufrecht und erwartungsvoll auf ihrem Platz, als wär es mein Hochzeitstag.

Die Verhandlung ist in wenigen Stunden abgeschlossen. Ich höre gar nicht richtig zu, und ich werde auch nicht groß aufgefordert, etwas zu sagen. Die Anfechtung in Sachen «ordnungsgemäßer Befehl» wird abgewiesen, und ich werde unehrenhaft aus der Armee entlassen, erhalte jedoch keine weitere Gefängnisstrafe.

Mum jubelt und springt auf mich zu. Sie umarmt mich, nimmt meinen Arm und streckt ihn in die Höhe, als wenn ich ein Boxer nach einem gewonnenen Kampf wäre. Sobald wir draußen im Tageslicht stehen, höre ich Rollläden klacken. Mum lässt mich nicht los, deshalb verlassen wir die Basis Hand in Hand. Ich will ihre Hand eigentlich nicht halten – doch sie hat meine so fest gepackt, dass mir gar keine Wahl bleibt.

Nach der stillen Einsamkeit in meiner Zelle macht mir der Ansturm der TV-Kameras, das Blitzlichtgewitter der Fotografen, die Rufe der Journalisten und das Gejohle der Gratulanten Angst. Als wir stehen bleiben, verstecke ich mich hinter meiner Mutter und dem eichhörnchenjagenden Anwalt und kämpfe gegen den Impuls an, zurückzuweichen und abzuhauen.

Der Anwalt zieht ein Blatt aus der Tasche und räuspert sich. Eine absolute Stille legt sich über die Menge, nur durchbrochen vom Klicken der Kameras, wenn er zwischen den Sätzen aufschaut. Er sagt, das Urteil sei eine Farce, ein Versuch, das Problem unter den Teppich zu kehren, und verspricht, es vor einem höheren Gericht anzufechten. Er erklärt, entscheidende Fragen darüber, was in einem modernen Kriegswesen legal sei, stünden im Raum und ließen sich nicht länger unterdrücken. Er redet und redet. Schließlich sagt er, das Wichtigste sei, dass ich wieder frei bin, doch das ist deutlich spürbar nichts weiter als ein billiger Nachsatz.

Sobald er fertig ist, knallt uns eine Flut von Fragen entgegen. Er beantwortet ein paar, aber der Schwall ist endlos und ohrenbetäubend. Er erzählt etwas von posttraumatischer Belastungsstörung und sagt der Menge, dass ich zu gegebener Zeit ein Interview geben würde, danach werde ich mit Hilfe von ein paar Polizisten in ein Auto verfrachtet und nach Hause gefahren.

Kurz darauf sitzen Mum und ich uns mit einem Becher Kaffee am Küchentisch gegenüber. Sie ist in Hochstimmung und so vollkommen elektrisiert von ihrem Triumph, dass sie kaum stillsitzen kann.

Mir fällt nicht viel ein, was ich sagen könnte.

Das Schweigen ist unerträglich, deshalb erkläre ich ihr, dass ich gern ins Bett gehen würde.

Sie sagt: «Natürlich.»

Die Menge der Journalisten in unserem Vorgarten wird jeden Tag kleiner. Am Ende des Monats ist keiner mehr da. Und das angekündigte Interview gebe ich nie.

Lange Zeit bin ich nur müde und verwirrt.

Mums Freunde kommen anfangs oft zu Besuch. Es scheint, als ob sie aufgeregt sind, mich zu treffen, doch wenn sie mir gegenüberstehen, spüre ich ihre Enttäuschung. Ich versuche, ungefähr das zu sagen, was sie hören wollen, doch es klingt nie richtig. Ich habe gelernt, mein Versäumen «Widerstand» zu nennen, doch es kommt mir nie überzeugend über die Lippen.

Nach einer Weile hören die Besuche auf. Es stellt sich heraus, dass es an Geld für eine Wiederaufnahme des Verfahrens fehlt, was mir recht ist.

Ich fange an, in Geschäfte zu gehen, Besorgungen zu machen, aber Mum kocht, sorgt für mich und wechselt das Bettzeug.

Die alte Dynamik kehrt wieder zurück. Ich bin nicht lange ihr Held. Die meiste Zeit sitze ich an meinem Computer und spiele.

«Wie kannst du das immer noch tun?», fragt sie eines Tages in der Tür stehend und deutet auf das Blut, das der Bildschirm zeigt.

«Weil ich gut darin bin», murmel ich vor mich hin.

Bald darauf fängt sie an rumzunörgeln, dass ich mir einen Job suchen soll. Sie hört auf, für mich zu kochen und die Bettwäsche zu wechseln.

Schließlich gebe ich nach. Es gibt einen Baumarkt, den der Mann einer Freundin von Mum leitet und wo angeblich ein Verkäufer gesucht wird. Das Angebot scheint mir eine Gefälligkeit zu sein, ein Freundschaftsdienst, doch solange ich hingehe und meine Arbeit tue, verdiene ich wenigstens Geld.

Es reicht nicht, um mir eine Wohnung zu mieten, aber immerhin kann ich wieder mit meinem Motorrad herumfahren. Der Lohn erlaubt mir auch, in Cafés oder Fastfood-Läden zu essen statt zu Hause. Es ist sehr viel entspannter, wenn ich dort bloß das Bad und mein Zimmer benutze. Ich gehe nur selten nach unten.

Langsam merke ich, dass mir der Job gefällt. Unsere Kunden schaffen, reparieren oder bauen alle irgendwas. Ich finde für sie, was sie suchen: ein Werkzeug, Schrauben oder Nägel, Farbe, Holz, Dichtmasse – wir haben eine enorme

Auswahl auf kleinem Raum. Allmählich lerne ich die Details des Bestellens, der Lagerüberwachung, der Kundenbindung und des Produktumschlags.

Durch die tägliche Routine scheint die Zeit schneller zu vergehen, meine Zeit beim Militär löst sich in einer fast vergessenen Vergangenheit auf. Ich werde Assistent der Geschäftsführung. Ich stelle einen jungen Mann ein und bilde ihn aus, meinen bisherigen Job zu übernehmen. Der Chef taucht immer seltener auf. Er vertraut mir, dass ich alles im Griff habe. Das Geschäft expandiert nicht, schrumpft aber auch nicht. Ich halte den Gewinn stabil.

Wir haben eine Pinnwand, an der Handwerker ihre Karte hinterlassen können, wenn sie Arbeit suchen. Einer der Stammkunden spielt in einer Band. Er bittet mich, einen Flyer für ein Konzert aufzuhängen, wofür die Pinnwand eigentlich nicht gedacht ist, doch er bietet mir an, mich auf die Gästeliste zu setzen, also sage ich ja.

Am Abend des Konzerts nehme ich den Flyer von der Wand, schiebe ihn in meine Tasche und fahre in den entsprechenden Stadtteil. Ich fahre an dem Veranstaltungsort vorbei, der mehr nach verlassener Lagerhalle aussieht als nach Event-Location, und nehme Zuflucht in einer Bar in der Nähe, um mein Selbstvertrauen zu stärken. Nach ein paar Bier will ich schon nach Hause aufbrechen, aber dann zwinge ich mich, doch noch in den Schuppen zu gehen.

Der Lärm und die dicht an dicht stehenden Menschen beunruhigen mich zuerst, bis ich begreife, dass dies ein Ort ist, wo man unsichtbar bleiben kann. Niemand erwartet etwas von einem, niemand registriert auch nur, dass man da ist. Die Musik ist rau und hart, doch am Ende des Konzerts fühle ich mich von der Lautstärke und Atmosphäre nach oben gespült und hüpfe und springe im Zentrum des Raums mit der Menge verschwitzter Fremder.

Es ist der beste Abend, den ich seit Jahren erlebt habe. Normalerweise bin ich nicht so dreist, doch nach dem Auftritt gehe ich hinüber zu dem Typen, der mich eingeladen hat, und sage zu ihm, wie sehr es mir gefallen hat. Er ist überraschend erfreut über mein Kompliment, legt sogar einen Arm um meine Schultern, und plötzlich stehe ich mit ihm und seinen Kumpeln zusammen und trinke. Und genau da treffe ich Crystal.

Es ist erstaunlich, wie sich dein ganzes Leben durch winzige Entscheidungen verändern kann, die am Anfang, wenn du sie fällst, vollkommen unbedeutend scheinen. Die Entscheidung, jemandem zu seinem einigermaßen passablen Gitarrenspiel zu gratulieren, kann deine Zukunft auf einen ganz neuen Pfad lenken. Crystal ist ein schüchternes Mädchen mit blasser Haut und dünnen blonden Haaren, hinter denen sie ihr Gesicht halb versteckt, doch sie gefällt mir auf Anhieb und schließlich unterhalten wir uns fast bis Mitternacht, und ich finde schließlich den Mut, sie nach ihrer Handynummer zu fragen.

Wir lassen es super langsam angehen. Beide sind wir nicht gerade die großen Redner, deshalb sind unsere ersten Dates auch ein bisschen peinlich, aber nach und nach merken wir, dass wir uns in dem freundlichen Schweigen wohlfühlen.

Ein paar Monate nach unserem Kennenlernen sind wir in

ihrer Wohnung, und ich erzähle ihr, dass ich Pilot war und was dort mit mir passiert ist. Sie weiß bereits, dass ich beim Militär war, doch ich habe bisher nie preisgegeben, dass ich im Dienst zusammengebrochen bin, im Gefängnis war und vor einem Kriegsgericht stand.

Ich ackere mich durch die ganze Geschichte, ohne sie anzuschauen, und denke, wie seltsam es ist, dass ich ihr die Dinge noch nie von Anfang bis Ende erzählt habe – wohl aus der Angst heraus, dass sie mich, wenn ich mit allem durch bin, verlassen wird. Doch als ich endlich schweige und sie verlegen ansehe, gibt sie mir einen Kuss, tätschelt meinen Oberschenkel und sagt, dass ich mir zu viele Sorgen mache. Das ist alles lange her und weit weg. Das Leben geht weiter.

Sie hat natürlich recht, doch nicht ganz. Ich konnte mich nie entscheiden, ob ich mich schämen sollte, als Soldat gescheitert zu sein oder es fast geschafft zu haben. Ich werde nie mehr das Bild auf dem Monitor vergessen, das Bild von dem Mann, der allein eine schwach erleuchtete Straße entlangtaumelte, in den wenigen Sekunden, nachdem ich die Rakete gezündet hatte, die seinen Körper zerreißen würde. Und genauso wenig kann ich vergessen, wie ich während des zweiten Tötungsbefehls erstarrte. Töten oder Erstarren – ich weiß noch immer nicht, was von beidem das Verbrechen war.

Wenn ich die Rakete gezündet hätte und Pilot geblieben wäre, wer wäre ich dann geworden? Ich hätte so leicht in diese andere Haut schlüpfen, ein komplett anderes Leben führen können, als ein Mann, der sowohl das Beste als auch das Schlimmste von mir gewesen wäre, ein Mann, den ich gleichzeitig bewundere und verachte: ein selbstbewusster, erfolgreicher und sorgloser Todesschütze.

Crystal und ich sind seit mehr als zwei Jahren zusammen, und sie ist gerade frisch schwanger, als eines Tages Victoria in den Laden kommt. Sie sucht nach einem Haken, um ein Kinder-Mobile aufzuhängen. Sie schiebt einen Buggy vor sich her mit einem schlafenden Kleinkind, einem Jungen in einem himmelblauen Strampelanzug voller Propellerflugzeuge, die auf seiner Brust Loopings fliegen. Sie wird rot, als sie mich sieht. Ich weiß nicht, was mit meinem Gesicht passiert, doch ich vermeide, ihr in die Augen zu sehen, und verkaufe ihr den Haken und einen passenden Dübel.

Sie zahlt bar, und als ich das Restgeld zurückgebe, sagt sie meinen Namen in einem Tonfall, der irgendwo zwischen Feststellung und Frage liegt.

Ich schaue über den Verkaufstisch in diese braunen Augen, die mich seit jenem schrecklichen Moment vor ihrer Wohnung, der Jahre her ist, nicht mehr direkt angesehen haben.

«Wie geht's dir?», fragt sie.

«Gut», antworte ich. «Ich bin Assistent der Geschäftsleitung.» Es ist eine dämliche Antwort. Das absolut Falsche, das man in einem solchen Moment sagen kann. Ich schlucke, versuche zu lächeln. «Und du? Wie läuft's bei dir?»

«Gut.»

«Ist lange her.»

«Ja.»

«Du hast ein Kind?», sage ich und nicke in Richtung Buggy.

«Er ist zwei.»

Sie legt die Hand auf ihren Bauch – ich nehme erst jetzt wahr, dass er sich wölbt – und will etwas sagen, dann lässt sie es sein. Ich will ihr klarmachen, dass es okay ist, dass ich die Schwangerschaft sehe, dass ich eine Freundin habe, die selber schwanger ist, doch ich weiß nicht, wie ich die Worte herausbringen soll. Ich weiß nicht, wie ich es sagen soll, ohne dass es peinlich klingt und wirkt, als würde ich versuchen, irgendwas zu beweisen.

Es entsteht ein verlegenes Schweigen.

«Ich geh dann mal besser», sagt sie und macht einen Schritt rückwärts, um den Buggy umzudrehen. «Schön, dich getroffen zu haben.» Sie sieht zur Tür und lächelt mich zaghaft an. Ich will nicht, dass sie geht.

«Also ... hast du das Militär verlassen», sage ich.

Sie nickt. «Schon vor einer Weile.»

«Wegen der Kinder?»

«Schon vorher.»

Sie schaut zu Boden. Lässt den Buggy los. Und einen Moment lang ist sie in Gedanken.

«Es war nicht lange, nachdem du ... nachdem ...»

Sie sagt den Satz nicht zu Ende. Denkt nach, schaut zu mir hoch.

«Nachdem du das getan hattest ... es hat viel verändert», sagt sie. «Ich hab noch eine Weile weitergemacht, aber ...»

«Aber was?»

«Ich hätte eher aufhören sollen. Hätte sofort gehen sollen. Ich hätte dich besuchen sollen, als sie dich ins Gefängnis gesteckt haben. Ich wünschte, ich hätte zu dir gehalten, dich unterstützt.»

Ich zucke mit den Schultern. Eine Antwort fällt mir nicht ein. Ich bin nicht mehr der, der vom Steuergerät seiner Drohne gezerrt wurde, weil er eine Rakete nicht abfeuern konnte. Der Mann, der noch fast ein Junge war, ist ein Fremder geworden, an den ich mich kaum noch erinnere.

«Tut mir leid», sagt sie.

«Mir auch», antworte ich. «Ich wollte mich schon lange bei dir entschuldigen.»

Ich sehe, wie ein Bild aus der Vergangenheit in ihr aufblitzt. Sie weiß, was ich meine.

Die Glocke über der Ladentür zerstört die Stille. Ein Mann in einem mit Farbe übersäten Overall kommt herein und bellt Anweisungen in sein Handy.

«Tschüs», sagt Victoria.

Ich nicke und eile um den Verkaufstisch, um ihr die Tür aufzuhalten.

Sie geht, schiebt ihr schlafendes Kind vor sich her und trägt ein zweites in ihrem Bauch.

DIE STADT

Die Haustür geht auf. Lex tritt heraus. Sein Kinn reckt sich nach oben, und er blinzelt ins Licht. Erleichterung jagt durch Zoes Körper, und im selben Moment hört sie das Sirren einer Drohne direkt über ihr.

Als Nächstes weiß sie nur noch, dass sie auf dem Rücken liegt. Es jault in ihren Ohren, und sie hat keine Ahnung, wo sie sich befindet oder wie lange sie schon so daliegt. Ein dumpfes Gefühl von etwas wie Schmerz pocht in ihrem rechten Arm, der rot gestreift ist. Ihr ganzer Körper ist übersät mit feinem Schotter. Sie steht auf, wischt sich ihr Gesicht sauber, blinzelt den Staub aus den Augen.

Sie kann immer noch nichts hören, doch als sie wieder sehen kann, erinnert sie sich, wo sie ist, was passiert ist.

Vor ihr schreit offenbar eine Frau. Sie sieht irrgeworden und wild aus. Es ist Lex' Mutter. Sie zieht ihre Mädchen auf die Beine, untersucht ihre Körper. Dann schreit sie Zoe an, schiebt die Zwillinge zu ihr. Sie weinen, weigern sich, ihre Mutter loszulassen. Sie löst die Kinder von sich und macht Zoe Zeichen, sie soll die beiden festhalten und warten.

Die Mädchen wehren sich, aber Zoe hält sie entschlossen am Handgelenk fest. Obwohl sie die Schreie aus ihren runden, heulenden Mündern sieht, ist in ihren Ohren nichts außer einem hohen Kreischen.

Die Mutter dreht sich um und rennt mit rudernden Armen, jeder Schritt ein taumelndes Stürzen. Sie rennt auf die Einschlagstelle der Bombe zu, dort, wo einmal ihr Haus gestanden hat, wo noch ihr Mann und ihr Sohn sind.

Kein Lex.

Steine, Holz, Dachpfannen, Glas, eine geborstene und verbogene Tür, doch kein Lex.

Kein Lex.

Lex' Mutter ist die Einzige, die auf das Einschlagloch zugeht. Auch ein paar andere Leute sind auf der Straße, aber alle eilen davon. Jeder fürchtet den Doppelschlag. Niemand würde sich einem gerade erst erfolgten Drohnentreffer nähern, es sei denn, man hat nichts mehr zu verlieren oder ist vollkommen weggetreten vor Entsetzen und Trauer.

Das bohrende Jaulen in Zoes Ohren legt sich allmählich. Sie hört das Grollen von Bomben in der Ferne und die Schreie von Lex' Mutter, als sie ihr zerstörtes Haus erreicht, über die Trümmer steigt und mit ihren Händen die Steinbrocken wegräumt.

Die Zwillinge winden sich aus Zoes Griff und rennen zu ihrer Mutter.

Zoe sieht empfindungslos zu, wie die beiden Kinder den qualmenden Hügel hochklettern, der ihren Bruder und ihren Vater begraben hat.

Sie fällt auf die Knie. Ihr Gesicht sinkt in die Hände. Sie

kann nicht hinsehen, sie kann nicht sprechen, sie kann sich nicht rühren, und sie kann auch nicht weinen.

Später kann Zoe nicht sagen, was als Nächstes passiert ist. Sie weiß, es hat keinen Folgeschlag gegeben. Die Mutter und die Zwillinge leben, denn sie sieht sie eine Woche später bei der eilig anberaumten Beerdigung. Tausende sind dort, für den Vater, nicht für Lex. Und die Atmosphäre ist aufgeheizt, voller Wut, doch das Zeremoniell ist kurz, denn alle wissen, jeden Moment kann es den nächsten Angriff geben.

Zoe geht nicht auf die Mutter zu, aber eines der Mädchen starrt während der Beerdigung mit wütenden, anklagenden Augen in ihre Richtung, als ob sie schuld an dem wäre, was passiert ist.

Und vielleicht ist sie das ja. Wenn Lex in der Nacht zu Hause geblieben wäre anstatt mit Zoe zusammen, vielleicht wären sie dann am nächsten Morgen woanders gewesen.

Zoe hat keine Erinnerung, wie sie an dem Tag zu ihrer Familie zurückgekommen ist, sie weiß nur, dass sie am Abend unter der Dusche stand und zusah, wie das rot durchsetzte graue Wasser um ihre Füße kreiselte.

Sie ist sich nicht sicher, wie sie die einundfünfzig Tage des Angriffs überstanden hat. Sie erinnert sich, wie sie während der Bombardierungen die Panik in den Augen der Menschen um sie herum sah. Es ging sie nichts an, sie empfand nichts. Ihre Mutter musste nach oben gestiegen sein und ein paar ihrer Reserven gefunden haben, denn sie hungerten nicht.

Als der Angriff endet, beginnt wieder ein neuer Alltag,

in einer noch kaputteren Stadt, mit mehr trauernden Geisterwesen, die durch die Straßen taumeln. Das Stromnetz ist halb zerstört, und eine erneute eiserne Blockade hindert die Stadt an einem Wiederaufbau und einer Erholung.

Es kommt der Moment, wo Zoe wieder arbeiten gehen muss. Sie hofft, dass Craig, der Mann, der dort das Sagen hat, ihr den Platz zurückgibt, denn er hat sie immer gemocht, immer bevorzugt behandelt.

Als sie Craig trifft, huscht ein seltsamer Ausdruck über sein Gesicht, als ob er schockiert wäre von ihrem Anblick, als ob ihn allein ihr Aussehen zutiefst erschreckt. Immer wieder fragt er sie, ob mit ihr alles okay ist, ob sie bereit ist, wieder zu arbeiten. Sie sagt, sie hat keine Wahl.

Er gibt ihr wieder einen Vorzugsplatz, doch sie kann nichts verkaufen.

Sie steht da, in dem Verkehr, mit den gleichen Waren, und verzieht ihr Gesicht zu etwas, das sie für das gleiche Lächeln wie früher hält, doch die Fahrer öffnen nicht ihre Scheiben für sie, und wenn, fällt ihr nichts ein, was sie sagen könnte. Sie hat keinen Scherz auf den Lippen, es gelingt ihr nicht zu spielen. Manchmal vergeht ein ganzer Zyklus von Grün zu Rot und wieder zu Grün, und wenn die Autos abermals anfahren, merkt sie auf einmal, dass sie sich nicht gerührt hat, nicht auf einen möglichen Kunden zugegangen ist.

Die andern Verkäufer ignorieren sie. Sie weiß, dass sie denken, man sollte sie wegschicken, und dass das auch geschehen würde, wenn sie jemand anderes wäre.

Craig lädt sie auf einen Kaffee ein. Das hat er noch nie getan. Er fragt sie mehrmals, wie es ihr geht, wie sie zurechtkommt, ob sie alles im Griff hat. Sie antwortet nur kurz. Es ist das erste Mal seit Wochen, dass sie außerhalb der Familie mit jemandem gesprochen hat.

Er rutscht auf ihre Seite des Tischs.

Er küsst sie.

Es ist nicht abstoßend. Sie fühlt eigentlich gar nichts.

Danach redet und redet er, es ist eine lange, begeisterte Rede darüber, dass er auf sie aufpassen kann, dass er jede Nacht an sie denken muss, darüber, wie lange er schon etwas für sie empfindet und dass er etwas für sie und ihre Familie zum Wohnen besorgen kann. Sie hört ihn vage ein Versprechen nach dem andern machen, nickt mit dem Kopf und versucht zu lächeln.

Sie erinnert sich nicht, auch nur einmal ja zu Craig gesagt zu haben, genauso wenig wie sie ein einziges Mal nein sagt. Sie wählt ihn nicht aus, doch die steigende Flut seiner Worte, mit der er seine Absicht bekundet, hebt sie empor und trägt sie in ein neues Leben. Nach Jahren, in denen sie ums Überleben gekämpft und alles getan hat, um ihre Mutter und ihre Geschwister zu schützen, hat sie keine Energie mehr, ihre Willenskraft ist gebrochen. Sie macht keine Anstalten, sich Craig vom Leib zu halten, wie ein Passagier, der auf einem sinkenden Schiff eine Rettungsweste annimmt.

Seine Wohnung ist klein und gemütlich. Sie liegt über der Erde, was eine Lebensform ist, an die sich Zoe kaum noch erinnert. Es gibt Fenster, durch die Tageslicht scheint und hinter denen die Nacht herabsinkt.

Zu sehen, wie der Tag in die Nacht hinübergleitet und die Nacht in den Tag, fasziniert Zoe anfangs. Es ist das Erste seit dem Raketenangriff, was sie so richtig wahrnimmt, ein erster Schubs, mit dem sie aus sich herauskommt, zurückkehrt in die Welt.

Zoe arbeitet nicht mehr an der Ecke. Jeden Morgen kommt eine Nachhilfelehrerin in die Wohnung, um ihr den Unterricht zu geben, den sie versäumt, und sie auf die Abschlussprüfung vorzubereiten, die sie nie gemacht hat. Die Lehrerin ist eine Frau mit kurzem grauem Haar, die niemals lächelt und immer die gleiche Kette aus dunkelblauen Perlen trägt. Zoe mag die Frau, findet das Lernen einfach und ist froh, dass die Frau sie nie in ein Gespräch zieht. Es macht ihr Freude, schweigend ein Blatt Papier mit Zahlen und Wörtern zu füllen. Das Rätsel einer Fremdsprache, das sich ihr erschließt, fasziniert sie und lässt sie allmählich von Orten träumen, von denen sie weiß, dass sie sie niemals sehen wird.

Nach einer endlosen Kette von Entschuldigungen, was eine neue Wohnung für ihre Familie angeht, wird schließlich ein einzelnes Zimmer in Paddington gefunden. Anfangs geht Zoe an jedem zweiten Tag hin und hilft ihrer Mutter, aus sich herauszukommen, wieder lebendig zu werden. Ihre jüngeren Brüder greifen sofort, als sie über der Erde sind, nach dem Leben und erfüllen lärmend den Raum, als wenn sie niemals anders gelebt hätten.

Zoe findet Craig nicht abstoßend trotz seiner Größe, seiner muskulösen Statur, seiner Ausstrahlung aus Schlauheit und Bedrohlichkeit. Er sorgt für sie, versucht, ihr mit gelegentlichen Geschenken und Überraschungen eine Freude zu machen, scheint zu genießen, wenn sie ihm zum Dank

Zuneigung zeigt. Was er von ihr erbittet, kann Zoe ihm ohne großes Unbehagen geben, denn sie hat keine Hoffnung, den Teil von sich neu zu erwecken, der mit Lex gestorben ist. Craig möchte, dass sie gut aussieht und elegant wirkt. Er liebt es, sie vorzuzeigen, und sagt nie, dass sie mal eine von seinen Straßenverkäuferinnen war. Wenn Leute sie noch aus jenem Leben kennen, scheinen sie gewillt, es zu vergessen.

Obwohl die Nachhilfelehrerin ursprünglich nur einge-stellt wurde, damit Zoe die verlorenen Schuljahre nachholt, weigert sie sich, mit dem Lernen aufzuhören, als sie die Ab-schlussprüfung geschafft hat. Ohne ihr Lernen hätte sie das Gefühl, im Boden zu versinken und zu verschwinden.

Craig erlaubt ihr unwillig, aufs College zu gehen. Obwohl ein akademischer Abschluss im Streifen, wo es dafür nur wenige Jobs gibt, kaum Nutzen bringt, halten noch Reste von zwei Universitäten ihren Betrieb aufrecht und haben stets mehr Anmeldungen als Plätze. An einem Ort, wo ma-terieller Reichtum zwecklos geworden ist, da es nur wenig zu kaufen gibt, ist Bildung leidenschaftlicher gefragt als je zuvor. Nach was sollte man sonst streben?

Craig möchte, dass Zoe gleich nach den Vorlesungen zu-rückkommt, denn er will nicht, dass sie Kontakt zu anderen Studenten hat. Er überprüft ganz genau ihren Stundenplan, checkt, dass sie immer dort ist, wo sie sein müsste, was Zoe zwar irritierend findet, wenn auch weniger aus realen Grün-den. Ihr gefallen die grinsenden Typen nicht, die mit ihr über diese Vorlesung und jenen Aufsatz schwatzen wollen und dauernd versuchen, einen Ansatz von Interesse bei ihr zu erwecken.

Die Mädchen scheinen wenig Zeit für sie zu haben, sie spüren schnell ihre abweisende Distanziertheit. Zoe hat nicht den Wunsch, sich unter die aufgeregt kichernden Menschen zu mischen, die sich in den Coffeeshops und in der Bibliothek aufhalten. Sie weiß, dass sie ohnehin nichts zu sagen hätte und unfähig wäre, über die Witze und Anekdoten zu lachen.

Sie ist nicht einsam. Sie weiß gar nicht richtig, was das heißt, einsam zu sein.

An dem Tag, als sie ihren Uni-Abschluss macht, bittet Craig sie, die Pille abzusetzen. Ohne groß über das unkalkulierbare Ausmaß dieser Entscheidung nachzudenken, wirft sie den Blisterstreifen mit den Tabletten in den Müll.

Während der Schwangerschaft entwickelt Zoe erstmals ein Verständnis für den Begriff Einsamkeit, denn während dieses menschliche Wesen in ihrem Körper wächst, spürt sie, wie etwas Hartes und Kaltes aufzuweichen und zu schmelzen scheint. Das Leben, das sich in ihr heranbildet, verdrängt langsam und sanft das Samenkorn des Todes, das sich in ihrem Innern eingerichtet hat. Ein neuer Mensch nimmt in ihrem Körper Gestalt an. Ein alltägliches, universelles Wunder.

Während dieser Monate des Zwei-Menschen-Seins fängt Zoe an, nachmittags zu schlafen. Ein Kissen hilft ihr, den geschwollenen Bauch zu stützen. Ein seltsamer, immer wiederkehrender Traum senkt sich oft während dieser kleinen Nickerchen auf sie herab, in dem der Fötus sie umhüllt, sie nährt und Schübe von rotem, blühendem Leben in Adern pumpt, die ganz verkalkt und schwarz geworden sind.

Als sich das verschrumpelte und puterrote Baby aus ihr herauskämpft und in die Welt schreit, weiß sie, dass auch sie neu geboren ist. Sie liebt den kleinen Jungen sofort, auf den ersten Blick. Sie ist, das weiß sie, halb tot gewesen seit dem Tag, als Lex starb. Jetzt fühlt sie, dass der Tod vielleicht seinen Griff gelockert hat, vielleicht von ihr abfallen könnte.

Sie hat noch immer wenig Interesse an Freunden oder vielleicht auch nur einfach keine Zeit für sie, nachdem jetzt jede Stunde von diesem winzigen Wesen bestimmt wird. Ihr zweifacher Körper mag sich geteilt haben, doch anfangs wirkt ihr Sohn nicht weniger abhängig von ihr als in der Zeit, als er noch in ihr war. Sie sind jetzt zwei getrennte Körper, scheinen aber in den ersten Monaten noch immer wie eine Person zu sein. Sie isst, um ihn zu füttern. Er ernährt sich von ihrem Körper und stößt mit seinen winzigen wütenden Fäusten in die Luft, wenn er hungrig ist.

Selbst als sie kaum mehr stehen kann vor Erschöpfung, bedeutet der Karamellgeruch seines Halses Glückseligkeit für sie. Sein erstes Lachen ist das großartigste Kunstwerk, das sie je gesehen hat.

Zoe erzählt weder Craig noch irgendeinem anderen Menschen jemals von Lex. Vermutlich ahnt Craig, dass sie um mehr als nur ihren Vater getrauert hat, doch sie erwähnt nie den Jungen, den sie liebte und der vor ihren Augen starb.

Auch wenn der Name Craig nichts sagen würde, überlegt sie kein einziges Mal, das Baby Lex zu nennen. Die Idee kommt ihr überhaupt nicht. Doch als sie zum zweiten Mal schwanger wird, weiß sie sofort, dass sie diesen Namen wählen wird. Das erste Kind hat sie zurück in die Welt gebracht; nun hofft sie in gewisser Weise, dass das zweite Kind auch Lex ein neues Leben geben kann.

Am Ende bekommt das Baby den Namen Alexa. Das Mädchen wird per Kaiserschnitt geholt. Plötzliche Panik mitten in der Nacht, das Baby hat die Nabelschnur um den Hals gewickelt, doch es überlebt. Alexa scheint das zerbrechlichste aller Babys zu sein, mit blondem Haarflaum, der schon beim leisesten Atemhauch flattert. Ihre Wimpern sind durchscheinend. Sie hat ein Muttermal in Form einer Erdbeere auf dem linken Handrücken, das Zoe die ersten Wochen ihres Lebens jeden Tag staunend anstarrt.

Sie isst; sie krabbelt; sie lernt zu laufen; sie wächst; ihre Haare werden dunkel; das Muttermal verblasst; sie geht zur Schule; und ein paar Tage nach ihrem sechzehnten Geburtstag kommt sie in die Küche, und für einen kurzen Moment überlegt Zoe, ob sich zwei Jahrzehnte in Luft aufgelöst haben und das Mädchen nicht ihre Tochter ist, sondern sie selbst.

Zoe ist jetzt Ende dreißig, und sie denkt nur noch selten an Lex, doch in diesem Moment, als sie in ihrer Tochter sich selbst sieht, durchschießt ein Nanosekunden-Stromstoß ihr Herz, und für einen winzigen Augenblick ist es, als wäre sie auf dem Weg zu einem Jungen, den sie liebt und der auch noch sechzehn ist.

«Wieso schaust du mich so an?», fragt Alexa. «Was ist los?»

«Nichts», antwortet Zoe und wendet sich wieder dem Herd zu.

Dieses Jahr, in dem Alexa sechzehn wird, ist noch aus einem anderen Grund bedeutsam. Es ist das Jahr, das in allen Geschichtsbüchern steht.

Zoe hört niemals Nachrichten. In einer Stadt, in der ständig das Radio zu laufen scheint, in der jeder eine Meinung zu Verhandlungen, Nichtverhandlungen, Militärmanövern, Widerstand, dem Datum des nächsten Angriffs hat, sind in Zoes Haus Nachrichten verbannt. Sie will nicht ein Wort über die Männer hören, deren Gebaren das Schicksal des Streifens bestimmt, oder über den Friedensprozess, bei dem niemals ein Frieden herauskommt. Doch in jenem Jahr ist selbst ihr klar, dass etwas bevorsteht. Nach einer Pattsituation, die schon so lange anhält, dass niemand mehr dachte, sie würde je enden, haben endlich Verhandlungen stattgefunden. Man einigt sich auf Zugeständnisse. Dennoch weigert sich Zoe, ein Radio im Haus zu erlauben, und der Fernseher wird ausgestellt, sobald die pathetischen Klänge der Titelmusik für die aktuellen Nachrichten losgehen.

Der 14. Juni ist der Tag, an den sich alle erinnern werden. Zoe ist zu Hause, als sie um zehn Uhr hört, dass die Glocken läuten. Die Glocken sämtlicher Kirchen der Stadt.

Sie hat das noch nie gehört und weiß nicht, was dieses Läuten bedeuten könnte.

Sie geht zum Fenster. Auf der Straße, wo sonst kaum mal ein Fußgänger entlangläuft, bewegt sich ein Strom von Menschen in dieselbe Richtung – nach Süden.

Zoe tritt aus dem Haus. Sie fragt einen Passanten, einen jungen Mann mit gepflegtem Bart, was los ist. Er sieht sie an, als ob sie verrückt wäre. «Haben Sie's denn nicht gehört? Sie haben die Tore in Brixton geöffnet. Die Menschen gehen gerade hinaus. Der Checkpoint ist offen!» Das Gesicht des Mannes strahlt vor Begeisterung. Er tanzt davon, entdeckt einen Freund, den er ungestüm an sich drückt. Zoe merkt, dass sich überall um sie herum die Menschen in den Armen liegen. Sich beim Laufen umarmen.

Sie folgt dem Strom der Menschen. Die Menge schwillt an, als sie das Zentrum der Stadt erreichen. Sie versucht, ihre Kinder und Craig anzurufen. Doch ihr Handy hat keine Verbindung. Das Netz ist überlastet. Jeder versucht zu telefonieren. Sie wäre jetzt gerne bei ihnen, möchte das hier nicht ohne ihre Familie erleben, aber gegen den Strom der Massen zurückzulaufen ist inzwischen unmöglich.

Alle Straßen sind mit stehenden, hupenden Autos blockiert. Einige Leute haben ihre eingekeilten Autos verlassen und gehen zu Fuß Richtung Süden weiter. Zoe überquert die Westminster Bridge, die so voll ist, dass sie nicht an den Rand kommt oder auch nur das Wasser sehen kann. Jenseits der Brücke sind die Straßen eine einzige Flut von Menschen, die alle in die gleiche Richtung strömen. Stampfende Musik tönt aus allen Richtungen. Leute tanzen in Gruppen, die anwachsen und wieder zerfallen, während die Prozession langsam nach Süden pilgert.

Ein junger Mann mit hohen, attraktiven Wangenknochen, das Gesicht strahlend vor Freude, fasst sie an der Hand und versucht, mit ihr zu tanzen. Sie macht ein paar kurze Schritte, lächelt entschuldigend und löst sich von ihm.

Sie muss Stunden unterwegs gewesen sein, als sie in Brixton ankommt, doch sie spürt nur einen ganz leichten Schmerz in den Füßen und kein bisschen Müdigkeit. Sie würde den ganzen Tag weiterlaufen, um zu den Toren zu kommen.

An einer bestimmten Ecke, nicht weit von den Tunneln entfernt, bleibt sie stehen. Die Massen strömen an ihr vorbei, laufen weiter, doch Zoe steht reglos da.

Dies ist die Straße, in die sie mit Lex gegangen ist.

Sie geht ein paar Schritte von der Hauptstraße weg, tritt aus dem Menschenstrom und läuft die kleine Straße entlang, in der sie seit zwanzig Jahren nicht mehr gewesen ist.

Es sieht alles noch gleich aus.

Nichts ist repariert oder wieder aufgebaut worden.

Derselbe schmale Pfad schlängelt sich durch den Schutt, vielleicht ist er in den zwanzig Jahren etwas breiter geworden.

Sie hat nie daran gedacht, hierher zu gehen. Selbst als sie wusste, dass sie auf dem Weg nach Brixton war, ist ihr der Gedanke nicht gekommen, doch jetzt, angezogen von einer Kraft, der sie nicht widerstehen kann, führen sie ihre Füße zu dem Ort, den sie nie hat vergessen können, und stürzen sie in einen Abgrund der Erinnerung.

Das Haus ist noch da, ist noch wiederzuerkennen, steht noch mit dem halb zerstörten Wohnzimmer, das zur Straße hin freiliegt. Zoe verlässt den Pfad und steigt über den Haufen loser Ziegel.

Die Tür, die mit grauer, blasenbildender Farbe übertüncht ist, ist angelehnt. Sie versucht, sie aufzuschieben, aber die Angeln sind festgerostet. Farbreste blättern von Zoes Hand. Ein Rempler mit der Schulter öffnet die Tür ein Stück mehr. Zoe zwängt sich hindurch.

Ein beißender, moderiger Geruch steigt ihr in die Nase. Die Holzdielen sind weg und geben den Blick auf teilweise fehlende Rohrleitungen und Stromanschlüsse frei. Ein paar Bilder hängen noch an den Wänden, das Foto mit den drei Kindern in Badezeug am Strand, die eine aus Sand geformte Meerjungfrau mit Haaren aus Seetang und Muschelschuppen präsentieren.

Zoe balanciert auf einem Balken und schaut die Treppe hinauf, die sich auf einer Seite gelöst hat. Die Stufen sind immer noch verbunden, hängen aber lose von der Wand und wirken zu schwach, um ihr Gewicht zu tragen.

Sie setzt einen Fuß auf die erste Stufe, so dicht wie möglich am Rand, und bleibt stehen. Es knarrt, doch sie bricht nicht ein. Zoe steigt noch eine Stufe weiter und hält sich eng an ein verrostetes Geländer, das ins Holz geschraubt ist.

Die siebte Stufe gibt unter ihr nach, doch Zoe fängt sich, verliert nicht das Gleichgewicht, sondern tritt über sie hinweg und nimmt die achte Stufe, dann schiebt sie sich Stück für Stück auf den Absatz.

In keinem der Schlafzimmerfenster gibt es noch Scheiben. Ein Sommerflieder hat sich durch den Erker gewunden, seine kränklich graugrünen Blätter drücken gegen die Decke. Alle Flächen sind schwarz von Ruß, doch für Zoe scheint es, als hätte sich nichts verändert. Das weiße Laken, das längst nicht mehr weiß ist und das Lex in seinem Rucksack mitgebracht hatte, liegt immer noch auf demselben

Bett, am selben Ort, als wenn es all diese Jahre gewartet hätte auf Zoes Rückkehr. Fast in der Mitte, gut zu sehen trotz der dicken Staubschicht, ist ein einzelner Blutfleck.

Ihr Herz pocht. In ihrem Kopf dreht sich alles. Der Tag mit Lex, der Tag auf diesem Bett explodiert wie ein Feuerwerk in ihrem Kopf, kehrt mit aller Klarheit zu ihr zurück: das Gefühl seiner Hände auf ihrer nackten Haut; der Duft seines Halses; sein Gewicht über ihr; das Gefühl, als sich ihr Körper wie eine Blüte öffnet; die Gewissheit, dass die Zukunft eine Landschaft sei, in die sie zusammen laufen würden, Hand in Hand. Sie merkt, dass sie kaum mehr stehen kann.

An dem Tag, nachdem sie sich geliebt hatten, hörten sie die ersten Bomben des neuen Angriffs. Heute hört Zoe durch die Fenster, die vielleicht genau von diesen Bomben zerstört wurden, das ferne Geräusch der singenden Massen.

In der folgenden Nacht starb er. Zoe hatte ihn zurück in sein Haus geschickt, um zu sterben. Sie erinnert sich noch genau an die Worte. Sie waren schon halb die Straße entlanggelaufen und in Sicherheit, als sie sagte: *Du hast dich nicht verabschiedet.*

Das hatte Lex dazu gebracht, noch mal umzukehren. Es war ihr Fehler gewesen. Wenn sie nichts gesagt hätte, würde er noch leben.

Wenn sie nichts gesagt hätte ...

Wenn sie weitergelaufen wären ...

Wenn ...

Wenn ...

Zwanzig Jahre lang hat Zoe zwei Pulsschläge gehabt.

Ihren Herzschlag und dieses konstante, halb wahrgenommene Pulsieren in jeder Sekunde irgendwo in ihrem Schädel.

Wenn ...

Wenn ...

Zoe öffnet den Mund. Sie weint, sie klagt; sie schreit. Dies ist das erste und einzige Mal, dass sie um Lex weint.

Als sie aufhört, wischt sie sich ihr Gesicht trocken, steht auf und entfernt sich von dem Haus, die zerstörte Straße entlang, hinein in die Flut der Leiber, die sich nach Süden schieben, den offenen Toren entgegen.

DANKSAGUNG

Mein aufrichtiger Dank an Atef Abu Saif, dessen unvergessliches Buch *Frühstück mit der Drohne* über den Gaza-Krieg von 2014 mich in Teilen zu diesem Roman inspiriert hat. Es hat sich tief bei mir eingebrannt.

Mein Dank auch an die Autoren der folgenden Bücher: Andrew Cockburn, *Kill Chain: Drones and the Rise of High-Tech Assassins*; Medea Benjamin, *Drohnenkrieg. Tod aus heiterem Himmel* und Eyal Weizman für das Kapitel «Targeted Assassinations: The Airborne Occupation» in seinem Buch *Hollow Land*, das einen aufschlussreichen Bericht über die Möglichkeiten einer modernen Luftwaffe gibt.

Dank auch an: Felicity Rubinstein, Rebecca McNally, Hannah Sandford, Lizz Skelly, Richard Sved sowie Adam, John und Susan Sutcliffe. Und allen voran, wie immer: Danke, Maggie O'Farrell.

Weitere Titel